afge
D0581983
Centrale OBA
www.oba.nl

F1 2016, wat een jaar!

Ander werk van Olav Mol

Een leven met Formule 1® (non-fictie, 2016)

Grand Prix Retro (non-fictie, 2016)

F1 2016, wat een jaar!

OLAV MOL

MET MEDEWERKING VAN JACK PLOOIJ EN ERIK HOUBEN

Amsterdam • Antwerpen

Eerste, tweede (e-book), derde en vierde druk, 2016

Copyright © 2016 Olav Mol, Jack Plooij & Erik Houben
Voor overname kunt u zich wenden tot Uitgeverij Q, Spui 10,
1012 WZ Amsterdam.

Formula 1® is a registered trade mark of Formula One Licensing BV, a Formula One group company and is used with kind permission of Formula One Licensing BV. All rights reserved.

Omslag DPS Design & Prepress Studio Amsterdam
Omslagbeeld Getty Images / Red Bull Content Pool

ISBN 978 90 214 0503 2 / NUR 480
www.uitgeverijQ.nl
www.grandprixradio.nl

Inhoud

Voorwoord 7
Teams en coureurs Formule 1 2016 9
Kalender Formule 1 2016 11
Barcelona, Cruijff en het andere Melbourne 12
Ronde 1: GP van Australië, 20 maart 17
De kop is eraf, en hoe 22
Ronde 2: GP van Bahrein, 3 april 25
Ronde 3: GP van China, 17 april 29
Jack is back 33
Ronde 4: GP van Rusland, 1 mei 38
Rosberg versus Hamilton: +43 voor Nico 42
Reuring in Rusland 44
Ronde 5: GP van Spanje, 15 mei 48
Yo hey, yo ho! 52
Sportoverwinningen zijn zo mooi 53
Ronde 6: GP van Monaco, 29 mei 59
Max Emilian in de superleague 63
Ronde 7: GP van Canada, 12 juni 68
Ronde 8: GP van Europa, 19 juni 72
Rosberg versus Hamilton: +24 voor Nico 76
Eerste keer Bakoe 78
Ronde 9: GP van Oostenrijk, 3 juli 82
Das schöne Spielberg 86

Ronde 10: GP van Groot-Brittannië, 10 juli 90
Samurai 94
Ronde 11: GP van Hongarije, 24 juli 97
Ronde 12: GP van Duitsland, 31 juli 101
Rosberg vs Hamilton: +19 voor Lewis 105
Het seizoen halverwege 107
Ronde 13: GP van België, 28 augustus 112
Frikandelletje speciaal 116
Ronde 14: GP van Italië, 4 september 119
Eindigende en beginnende carrières 123
Ronde 15: GP van Singapore, 18 september 129
Ronde 16: GP van Maleisië, 2 oktober 133
Rosberg versus Hamilton: +23 voor Nico 137
Ronde 17: GP van Japan, 9 oktober 139
Ferrari in de penarie 143
Ronde 18: GP van de Verenigde Staten, 23 oktober 146
De tweede Verstappenregel 150
Ronde 19: GP van Mexico, 30 oktober 154
Ronde 20: GP van Brazilië, 13 november 159
Rosberg versus Hamilton: +12 voor Nico 165
Ronde 21: GP van Abu Dhabi, 27 november 167
De doorbraak van Max Verstappen 174
Preview Formule 1 2017 179
Teams en coureurs Formule 1 2017 187
Kalender Formule 1 2017 188

Voorwoord

Als er een Formule 1-seizoen is dat een boek verdient, is het wel het seizoen 2016. Al vrij snel werd duidelijk dat het op meerdere vlakken een apart jaar zou worden: de strijd om de wereldtitel bij Mercedes, het gedoe met regels van de FIA, het afscheid van twee ervaren rotten, een nieuw bandenreglement en natuurlijk de definitieve doorbraak van Max Verstappen op het hoogste platform van de autosport.

Jack Plooij en ik beschrijven de belevenissen op de F1-paddock, geven je een blik achter de schermen en laten ons licht schijnen over de ontwikkelingen in het F1-circus. In een jaar met een recordaantal van 21 races gebeuren genoeg gekke, leuke, bizarre en verrassende dingen die we graag met je delen. Ook alle races zelf kun je nog eens beleven met de verslagen van Erik Houben.

De overwinning van Max Verstappen tijdens de GP van Spanje zal bij iedereen in het geheugen gegrift staan als ware het een maanlanding. De reuring die hij bij de gevestigde orde en de regelgevers veroorzaakte was van ongekend formaat. Voor- en tegenstanders vlogen elkaar in de haren.

Dat de F1-wereld er uiteindelijk weer een nieuwe kampioen aan over heeft gehouden geeft aan dat de sport nog steeds in de vooruitgang is, iets wat voor 2017 weer meer perspectief biedt. En ook op dat nieuwe jaar met nieuwe auto's en nieuwe coureurs blikken we vooruit in dit boek.

Maar... eerst maar eens terugkijken op 2016. Wat een jaar!

Olav Mol

Teams en coureurs Formule 1 2016

TEAM	COUREUR	LAND
Mercedes	Lewis Hamilton	Engeland
	Nico Rosberg	Duitsland
Red Bull	Daniel Ricciardo	Australië
	Daniil Kvyat (t/m ronde 4)	Rusland
	Max Verstappen (vanaf ronde 5)	Nederland
Ferrari	Sebastian Vettel	Duitsland
	Kimi Räikkönen	Finland
Williams	Valtteri Bottas	Finland
	Felipe Massa	Brazilië
Force India	Sergio Pérez	Mexico
	Nico Hülkenberg	Duitsland
Toro Rosso	Max Verstappen (t/m ronde 4)	Nederland
	Daniil Kvyat (vanaf ronde 5)	Rusland
	Carlos Sainz	Spanje
McLaren	Fernando Alonso (behalve ronde 2)	Spanje
	Stoffel Vandoorne (ronde 2)	België
	Jenson Button	Engeland
Haas	Romain Grosjean	Frankrijk
	Esteban Gutiérrez	Mexico

Renault	Kevin Magnussen Jolyon Palmer	Denemarken Engeland
Sauber	Marcus Ericsson Felipe Nasr	Zweden Brazilië
Manor	Rio Haryanto (t/m ronde 12) Esteban Ocon (vanaf ronde 13) Pascal Wehrlein	Indonesië Frankrijk Duitsland

KALENDER FORMULE 1 2016

20 maart – Australië (Melbourne)
3 april – Bahrein (Bahrein)
17 april – China (Shanghai)
1 mei – Rusland (Sotsji)
15 mei – Spanje (Barcelona)
29 mei – Monaco (Monte Carlo)
12 juni – Canada (Montreal)
19 juni – Europa (Bakoe)
3 juli – Oostenrijk (Spielberg)
10 juli – Groot-Brittannië (Silverstone)
24 juli – Hongarije (Boedapest)
31 juli – Duitsland (Hockenheim)
28 augustus – België (Spa-Francorchamps)
4 september – Italië (Monza)
18 september – Singapore (Singapore)
2 oktober – Maleisië (Sepang)
9 oktober – Japan (Suzuka)
23 oktober – Verenigde Staten (Austin)
30 oktober – Mexico (Mexico City)
13 november – Brazilië (São Paulo)
27 november – Verenigde Arabische Emiraten (Abu Dhabi)

Barcelona, Cruijff en het andere Melbourne

OLAV MOL

Mijn F1-seizoen 2016 begint op dinsdag 15 maart, de dag van de reis naar Melbourne. Nadat ik twee jaar alleen op reis ben geweest, heeft Ziggo besloten de ploeg op locatie uit te breiden. Aangekomen op Schiphol moet ik wachten op twee makkers met wie ik al heel wat Grands Prix samengewerkt heb: Jack Plooij en Arjan Ekster. Jack gaat weer mee als verslaggever/pitreporter en Arjan is de cameraman van dienst. Er is besloten om dit seizoen met drie cameramannen te gaan werken die elkaar afwisselen: Arjan doet de eerste Grand Prix (en nog twee in de zomer) en verder gaan Wouter Kooistra en Mathijs Notten de honneurs waarnemen. Het zijn alle drie gasten die de F1-wereld kennen en weten wat er van ze gevraagd wordt. Jack heeft tien jaar geleden voor het laatst op de paddock gewerkt en zal zijn plek in het zogenaamde 'vierkantje', de plek waar de rijders hun interviews geven, opnieuw moeten verdienen.

Na een paar minuutjes komen de heren aanlopen. Ruim eenentwintig uur vliegen later staan we in Melbourne, inmiddels is het woensdagavond. Het feest kan beginnen. Melbourne is een fijne stad met goede restaurants, niet te druk qua verkeer en met een prima ligging aan zee. De Aussies houden van racen en zijn er trots op dat hun Grand Prix de opener van het seizoen is. De eerste race heeft altijd net dat beetje extra; iedereen is vers en nog uitgerust van de winterstop, er zijn veel noviteiten op de auto's en vaak zijn er nieuwe gezichten onder de rijders.

Eerste doel is altijd het ophalen van de huurauto. Met de boeking in de hand loop ik het kantoor van Hertz binnen. Omdat we in een F1-seizoen nogal wat huurauto's wegzetten, staat over het algemeen mijn naam op een bord met daarachter de plek waar de auto klaarstaat. Je kunt de auto dan oppikken zonder verder papierwerk in te hoeven vullen, je hoeft je alleen te legitimeren bij het verlaten van het parkeerterrein.

Het valt me gelijk op dat mijn naam niet op het bord staat. Ik loop naar de balie en geef de dame achter de balie mijn reserveringsnummer, waarna zij met een vragende blik naar de computermonitor staart. Ze kan geen reservering voor ons vinden. Ik toon haar het reserveringsformulier, waar Melbourne Airport op staat. Er verschijnt een glimlach op haar gezicht en ze wijst me op wat er achter Melbourne Airport staat: (USA). De producer heeft een auto voor ons gehuurd in de plaats Melbourne in Amerika, in plaats van die in Australië. Gelukkig bleken ze nog een auto beschikbaar te hebben en kunnen we op weg naar het hotel.

De wintertests, die aan elk seizoen voorafgaan, vonden dit jaar plaats in Barcelona. Omdat Max Verstappen vooral bij de tweede test actief zou zijn, hadden we ervoor gekozen daar al het nodige te filmen voor een korte voorbeschouwing. Max was Max en relaxed als altijd.

Toch zag ik hem op een middag wat nerveus dralen in het motorhome van Toro Rosso. Carlos Sainz zat die dag in de auto en Max had tijd voor interviews. Er zou een bijzondere man aanschuiven. Ik zat een tafel verderop van Max en zag dat er buiten een horde mensen richting het motorhome kwam. Midden in die menigte liep een absolute sportheld, ook voor de Spanjaarden: Johan Cruijff. Hij nam plaats aan tafel bij Max, die duidelijk onder de indruk was van het bezoek van de beroemde voetballer. Max en Cruijff begonnen geanimeerd met elkaar te praten over dingen die beide topsporters verbonden, de rest eromheen was toehoorder.

Johan Cruijff zag er ziek uit. Hij had een net iets te opgeblazen gezicht van de medicijnen, maar oogde toch krachtig. Max nam hem mee voor een privérondleiding in de pitbox en gaf uitleg over de auto, hoe bijvoorbeeld het stuurtje werkte. Wellicht heeft Cruijff daar zijn licht over laten schijnen zoals alleen hij dat kon, de dingen altijd vanuit een andere hoek benaderen. Voor Max was het overduidelijk een mooi moment, deze grote sportheld die naar zijn talentvolle landgenoot kwam kijken. Het zou bij die ene ontmoeting blijven; vier dagen na de eerste race van 2016 overleed Cruijf in het door hem zo geliefde Barcelona aan de gevolgen van zijn ziekte.

De dagen voorafgaand aan die eerste race verlopen prima. Jack regelt voor de uitzending een interview met Pascal Wehrlein, een van de debutanten van 2016. Tevens lopen we Paul Stoddart tegen het lijf, de excentrieke ex-Minardi-eigenaar die nog steeds zijn 'liefde' voor Jos Verstappen niet onder stoelen of banken kan steken. 'Nog steeds de beste rijder met wie ik ooit gewerkt heb.' Ook in Max blijkt hij een bovenmatige interesse te hebben.

Het eerste seizoen van de Nederlander is ook *down*

under niet onopgemerkt voorbijgegaan. Op vrijdagochtend is er de persmeeting met wedstrijdleider Charlie Whiting. De pers heeft daar elk jaar de gelegenheid om regelveranderingen toegelicht te krijgen en om te vragen naar de interpretatie van de regels.

Ook voor 2016 zijn er weer nieuwe regels. De belangrijkste in Melbourne zijn het bandenreglement waarbij Pirelli drie *compounds* (soorten rubber) ter beschikking van de teams heeft in plaats van twee, de ban op radioverkeer tussen de teams en rijders en de volledig nieuwe opzet van de kwalificatie. Whiting geeft daar onder andere aan dat de FIA altijd twee stappen vooruit moet denken en dat hij de teams te kennen heeft gegeven dat er scherp zal worden gelet op wat er aan de rijders kan of mag worden doorgegeven. In een notendop: de teams mogen alleen nog communiceren over zaken die met veiligheid te maken hebben, de posities op de baan en ten opzichte van concurrenten en op welke momenten er pitstops gemaakt kunnen worden. Mededelingen over instellingen van de auto en knopjes op het stuur om de ultieme start te kunnen maken of tijdens de race eventuele problemen te omzeilen, zijn verboden. Zelfs een verkapte boodschap is strafbaar. Als voorbeeld gaf hij dat een team ook niet zou mogen roepen: 'de koffie bij F4 is beter dan bij F3'. Ook sms-berichten naar de auto, zodat die op de display van de rijders tevoorschijn komen, en aanwijzingen via het pitbord zouden streng in de gaten gehouden gaan worden,

De tweede verandering die nogal wat teweegbrengt is de nieuwe opzet van de kwalificatie. Er zijn nog gewoon de drie sessies Q1, Q2 en Q3, maar in plaats van dat er aan het einde mensen afvallen zal er nu telkens na een aantal minuten een klok gaan lopen, waarbij om de

90 seconden de langzaamste af zal vallen. De mensen van Formula One Management (FOM) en de FIA hadden simulaties gedaan waarbij het prima werkte. De kwalificatie zou veel meer actie op de baan gaan geven.

De uitwerking hiervan blijkt een drama. Het heeft er vooral mee te maken dat de teams de timing niet meteen op orde hebben. Zo gebeurt het dat de complete top zes zich in Q1 verzekert van een plek in de top-tienkwalificatie en daarom niet meer hoeft te rijden in Q2. Vooral aan het einde van de sessies zijn de actie en de spanning ver te zoeken.

Al na twee Grands Prix wordt het nieuwe kwalificatiesysteem opgedoekt. In China kwalificeren de coureurs zich weer volgens de oude regels.

Ronde 1: GP van Australië, 20 maart

ERIK HOUBEN

VOORAF

Het Haas F1 Team, geleid door de Amerikaanse NASCAR-teameigenaar Gene Haas, debuteert in de Formule 1 met de van Lotus overgekomen Romain Grosjean en de Ferraritestrijder Esteban Gutiérrez. De auto's zijn zelf door Haas ontwikkeld, maar bevatten onderhuids veel onderdelen van Ferrari. Bij Manor debuteren twee coureurs: regerend DTM-kampioen Pascal Wehrlein en de GP-rijder Rio Haryanto. Het Lotus Team is overgenomen door Renault en heet nu voluit Renault Sport Formula One Team. Jolyon Palmer, GP2-kampioen van 2014, debuteert met Renault in de Formule 1 en wordt vergezeld door Kevin Magnussen, die in 2014 al een jaar voor McLaren reed.

In Australië wordt de kwalificatie gedaan volgens een nieuw afvalsysteem. Wat bedoeld is om het spektakel te verhogen blijkt juist tot minder actie te leiden en de meerderheid van de mensen in de Formule 1-paddock roept direct op om terug te keren naar het systeem zoals het was.

RACE

De kwalificatie in Melbourne geeft twee Mercedessen met Lewis Hamilton en Nico Rosberg op de eerste startrij. Achter hen staan de Ferrari's van Sebastian Vettel en Kimi Räikkönen en daarachter Max Verstappen, als vijfde gekwalificeerd. Kort na de start is alles anders: Vettel en Räikkönen pakken de leiding, Rosberg kan volgen, maar Hamilton verliest tijd in de eerste bocht en valt terug naar P6. Verstappen start goed en sluit als vierde aan achter Rosberg. Hamilton passeert al snel Felipe Massa voor P5, maar zit vervolgens rondenlang vast achter een strak verdedigende Verstappen.

De eerste pitstops zijn gaande als Fernando Alonso na contact met Esteban Gutiérrez meerdere malen over de kop gaat en met een impact van 46G in de bandenstapels crasht. Hij kruipt zelf uit zijn auto en lijkt er op het eerste gezicht redelijk goed van af te komen. De race wordt stilgelegd en de rest van het veld moet in de pits wachten tot de baan is opgeruimd en de veiligheid is hersteld. Mercedes neemt dan de cruciale beslissing om Rosberg en Hamilton vóór de herstart medium banden te geven, die weliswaar trager zijn, maar langer meegaan. De Ferrari's handhaven hun snellere supersoft banden en de race wordt hervat met als eerste drie Vettel, Rosberg en Räikkönen, gevolgd door Ricciardo, de twee Toro Rosso's met Verstappen en Sainz en Hamilton als zevende.

Motorpech dwingt Räikkönen kort daarna tot opgeven. Ook Verstappen zit het niet mee: bij zijn tweede pitstop staat het team niet klaar met de juiste banden en Verstappen valt terug tot P12. Hij komt vast te zitten achter teamgenoot Carlos Sainz, die op zijn beurt lange tijd moeite heeft om debutant Jolyon Palmer in te halen.

Verstappen uit duidelijk zijn ongenoegen over de situatie via de boordradio.

Vooraan blijft Vettel leiden, maar hij kan geen voorsprong opbouwen die groot genoeg is om de leiding na een pitstop te behouden. Hij moet nog een keer wisselen, net als Ricciardo, maar Rosberg en Hamilton kunnen de race op hun medium banden uitrijden.

Vettel maakt een laatste en trage stop, waarna Rosberg de leiding pakt en als winnaar over de finish komt. Hamilton is, nadat ook Ricciardo heeft gewisseld, achter hem aangesloten en finisht als tweede. Vettel wordt uiteindelijk derde en een gefrustreerde Verstappen raapt als tiende aan de finish het laatste punt op.

MAX VERSTAPPEN NA DE RACE:

'Het was een nogal frustrerende middag. We hadden een geweldige start van de race en konden de Mercedes achter ons houden. De eerste pitstop was ook goed. We hadden een geweldig tempo en ik had geen druk vanachter, maar na de rode vlag hadden we een beetje een miscommunicatie voor de tweede stop en toen kreeg ik het erg moeilijk.

We hebben een fantastische auto en om hier als tiende te finishen is niet waar we moeten zijn. Ik ben erg teleurgesteld, want dit was een geweldige kans voor ons om een goed resultaat neer te zetten. Nu moeten we ons focussen op de volgende race en proberen daarin meer punten te scoren dan vandaag.'*

---

* De quotes van coureurs na de races zijn samengesteld uit citaten uit de persberichten van de teams, en uit citaten van de desbetreffende coureur bij de persconferentie en bij Jack Plooij voor de camera.

UITSLAG FORMULE 1 GRAND PRIX VAN AUSTRALIË 2016

1 Nico Rosberg (Mercedes)
2 Lewis Hamilton (Mercedes)
3 Sebastian Vettel (Ferrari)
4 Daniel Ricciardo (Red Bull)
5 Felipe Massa (Williams)
6 Romain Grosjean (Haas)
7 Nico Hülkenberg (Force India)
8 Valtteri Bottas (Williams)
9 Carlos Sainz (Toro Rosso)
10 Max Verstappen (Toro Rosso)
11 Jolyon Palmer (Renault)
12 Kevin Magnussen (Renault)
13 Sergio Pérez (Force India)
14 Jenson Button (McLaren)
15 Felipe Nasr (Sauber)
16 Pascal Wehrlein (Manor)
DNF* Marcus Ericsson (Sauber) – versnellingsbak
DNF Kimi Räikkönen (Ferrari) – turbo
DNF Rio Haryanto (Manor) – aandrijfas
DNF Esteban Gutiérrez (Haas) – aanrijding
DNF Fernando Alonso (McLaren) – aanrijding
DNS** Daniil Kvyat (Red Bull) – elektronica
Driver of the Day: Romain Grosjean (Haas)***

---

* DNF betekent *did not finish*.

** DNS betekent *did not start*.

*** De 'Driver of the Day' is een in 2016 nieuw bedachte onderscheiding, waar de fans voor kunnen stemmen op de website van de Formule 1. Tot en met

WK-COUREURS			WK-CONSTRUCTEURS		
1	Nico Rosberg	25	1	Mercedes	43
2	Lewis Hamilton	18	2	Ferrari	15
3	Sebastian Vettel	15	3	Williams	14
4	Daniel Ricciardo	12	4	Red Bull	12
5	Romain Grosjean	10	5	Haas	8
10	Max Verstappen	1			

de Grand Prix van Singapore kan men stemmen tot een dag na de race. Vanaf Maleisië kan er alleen tijdens de race worden gestemd, zodat de winnaar direct na afloop bekend kan worden gemaakt.

De kop is eraf, en hoe

OLAV MOL

'Die punten interesseren me geen moer.' Dat was de even korte als veelzeggende reactie van Max Verstappen na afloop van de Grote Prijs van Australië voor de camera bij Jack Plooij. Max was zeer ontevreden over hoe het gegaan was in die eerste wedstrijd van 2016. Er wás een plan, maar dat plan werd anders uitgevoerd.

Wat er gebeurde was dat Carlos Sainz heel slim had geroepen: 'Ik heb problemen met mijn banden en ik kom nu eerder binnen dan gepland.' En wat deed Max? Die kwam dus ook eerder binnen dan gepland toen het hém uitkwam. In de Formule 1 betekent dat dat jouw team niet klaar is en je veel tijd verliest. Als een coureur het team verrast met een pitstop, zullen ze hem in elk geval niet de best mogelijke banden geven, en dat leidt tot extra tijd op de baan. Bovendien kwam Max daarna klem te zitten en waren er wat frustraties.

Na afloop werd er stevig gesproken met de Oostenrijkse teambaas Franz Tost, die het allemaal niet heel erg kon waarderen. Het voordeel van Toro Rosso zou in het begin van het jaar moeten zitten. Met de ervaringen van het testen voor het seizoen waren die eerste wedstrijden van 2016 dé momenten waar het team van Toro Rosso de punten moest scoren en misschien wel voor het podium kon gaan. Maar de competitie tussen Max en Carlos Sainz was een heel heftige.

Dit alles resulteerde erin dat er in Bahrein iets onverwachts gebeurde. Ik zou op vrijdagavond rond de klok van half tien een interview doen met Max, maar dat interview werd uitgesteld. De persvoorlichtster deelde ons mee dat er 'eerst nog wat gesproken' moest worden. En daar kwam Helmut Marko aangewandeld met zijn tasje, kort daarop gevolgd door Carlos Sainz en nog wat later door Max Verstappen. Ze gingen alle drie naar binnen en hebben meer dan een uur achter gesloten deuren zitten praten.

Het werd vrij snel duidelijk dat Franz Tost de boel niet meer in de hand had. Daarom was Helmut Marko, adviseur bij Red Bull, ertussen gezet om de boel in goede banen te leiden. Franz Tost zou na afloop van Australië nogal geklaagd hebben over wat het kamp Verstappen gedaan en gezegd zou hebben. Helmut Marko nam contact op met Jos Verstappen, die hem de nuances van de zaak kon uitleggen en daarmee ander licht op de zaak wierp. Tijdens het gesprek met Max en Carlos in Bahrein maakte Marko duidelijk dat het eigenhandig negeren van het strijdplan niet meer moest gebeuren en wat de gevolgen zouden zijn als dat wél zo was.

Het was een duidelijke eerste aanwijzing dat het aan het rommelen was bij Toro Rosso. Wat niet hielp was dat Phil Charles, de *chief race engineer*, de twee kampen alleen maar versterkte. In sommige situaties werd wel met het ene deel van het team, maar niet met het andere deel gecommuniceerd. Zo gebeurde het dat in Bahrein de race engineer van Max, de Spanjaard Xevi Pujolar, zijn collega's aantrof in een meeting en vroeg: 'Ben ik te laat? Heb ik wat gemist? Was er een meeting, ik wist van niks?' Je zou verwachten dat Phil Charles alle engineers te allen tijde als één team bij elkaar zou proberen te houden. Dat zijn toch de jongens die móéten samenwerken, met name tijdens de pitstops als razendsnel moet worden overlegd en beslissingen moeten worden genomen.

De spanningen bij Toro Rosso zouden een voorbode blijken van nog meer gerommel, later in Rusland.

Ronde 2: GP van Bahrein, 3 april

ERIK HOUBEN

Na de tweede keer kwalificeren volgens het omstreden knock-outsysteem mogen Lewis Hamilton en Nico Rosberg vanaf de eerste startrij vertrekken. Voor Sebastian Vettel kent de race een desastreus begin. De Ferrari van de Duitser valt stil tijdens de opwarmronde met een motorprobleem en voor het eerst in zijn F1-carrière kan hij niet starten. Ook Jolyon Palmer heeft een probleem met zijn hydraulisch systeem en gaat niet van start.

Rosberg pakt meteen de leiding, waar zijn teamgenoot Hamilton na contact met Valtteri Bottas terugvalt naar plaats negen. Max Verstappen start als tiende, wint een plek bij de start en komt twee keer in de race terecht achter Felipe Massa, die hij beide keren inhaalt. De Nederlander finisht als zesde.

Rosberg wint na een probleemloze race de Grand Prix. Kimi Räikkönen en Hamilton volgen na de eerste pitstops als tweede en derde en behouden die posities tot aan de finish. Opmerkelijk is het debuut van de Belg Stoffel Vandoorne. Hij vervangt de geblesseerde Fernando Alonso, verslaat Jenson Button tijdens de kwalificatie en scoort het eerste punt van 2016 voor McLaren.

MAX VERSTAPPEN NA DE RACE:

'Ik ben heel blij met het resultaat van vandaag! Ik denk dat we sterk zijn teruggekomen na het eerste weekend en het hele team heeft fantastisch werk geleverd: een goede strategie, goede pitstops... alles werkte perfect, waaronder ons bandenmanagement. De auto deed gewoon goed wat die moest doen en voelde goed aan, we hadden een geweldig tempo. Het was een enerverende wedstrijd en ik heb er echt van genoten.

Om als zesde te finishen is een fantastische manier om het weekend af te sluiten en ik wil het hele team bedanken voor hun geweldige werk. Dit is ook de eerste keer dat het team punten scoort hier in Bahrein, dus ik ben erg blij dat deze statistiek veranderd is. Zoals ik al eerder zei toen we hier kwamen: dat was een van mijn doelstellingen.'

STOFFEL VANDOORNE NA DE RACE:

'Dit resultaat was min of meer wat ik had verwacht. Ik heb mijn kans maximaal benut en ben heel tevreden. De start was wat lastig. Er lag links en rechts rommel en er waren veel gevechten in die eerste ronde. Het was behoorlijk hectisch. Vanaf het begin van het weekend heb ik alle vertrouwen in de auto en ik voelde dat ik het goed zou kunnen gaan doen. Ik ben blij dat ik geen fouten maakte – daar was ik echt op geconcentreerd – en ik kwam weg met een punt, dat was een leuke bonus. Dit weekend was een grote kans voor mij: ik maakte er het beste van, heb laten zien waartoe ik in staat ben en nu moet ik gewoon afwachten wat er verder gebeurt. Dat is niet aan mij om te beslissen, dus laten we zien wat de toekomst brengt.'

UITSLAG FORMULE 1 GRAND PRIX VAN BAHREIN 2016

1 Nico Rosberg (Mercedes)
2 Kimi Räikkönen (Ferrari)
3 Lewis Hamilton (Mercedes)
4 Daniel Ricciardo (Red Bull)
5 Romain Grosjean (Haas)
6 Max Verstappen (Toro Rosso)
7 Daniil Kvyat (Red Bull)
8 Felipe Massa (Williams)
9 Valtteri Bottas (Williams)
10 Stoffel Vandoorne (McLaren)
11 Kevin Magnussen (Renault)
12 Marcus Ericsson (Sauber)
13 Pascal Wehrlein (Manor)
14 Felipe Nasr (Sauber)
15 Nico Hülkenberg (Force India)
16 Sergio Pérez (Force India)
17 Rio Haryanto (Manor)
DNF Carlos Sainz (Toro Rosso) – aanrijding
DNF Esteban Gutiérrez (Haas) – remmen
DNF Jenson Button (McLaren) – motor
DNF Sebastian Vettel (Ferrari) – motor
DNF Jolyon Palmer (Renault) – hydrauliek

Driver of the Day: Romain Grosjean (Haas)

WK-COUREURS			WK-CONSTRUCTEURS		
1	Nico Rosberg	50	1	Mercedes	83
2	Lewis Hamilton	33	2	Ferrari	33
3	Daniel Ricciardo	24	3	Red Bull	30
4	Kimi Räikkönen	18	4	Williams	20
5	Romain Grosjean	18	5	Haas	18
8	Max Verstappen	9			

Ronde 3: GP van China, 17 april

ERIK HOUBEN

Het knock-outsysteem voor de kwalificatie is afgeschaft en de zaterdag is weer zoals die was. Lewis Hamilton heeft er weinig aan, de wereldkampioen kan door een defecte versnellingsbak geen kwalificatietijd neerzetten en moet op zondag achteraan starten. Voor de eerste keer in het jaar staat er maar één Mercedes op de voorste startrij. Nico Rosberg vertrekt van poleposition, gevolgd door Daniel Ricciardo, Kimi Räikkönen en Sebastian Vettel. Max Verstappen start als negende.

Ricciardo heeft de beste start en pakt de leiding voor Rosberg. Achter hem gaat het in de eerste bocht mis als Vettel schrikt van een plots binnendoor stekende Daniil Kvyat. Vettel wijkt iets uit, waardoor hij en Räikkönen elkaar raken. De Fin spint en moet naar de pits om een nieuwe voorvleugel te halen. Vettel zelf valt terug naar plaats acht. Ook de als laatste gestarte Hamilton moet de pits opzoeken voor een nieuwe vleugel. Hij is zijn vleugel kwijtgeraakt na contact met de Sauber van Felipe Nasr.

De volgende die ongepland de pits in kan is raceleider Ricciardo. In de derde ronde klapt zijn linkerachterband, waardoor Rosberg de leiding krijgt en er tegelijk een safetycar op de baan komt om het gesprongen rubber van Ricciardo op te ruimen. Vele rijders duiken de pits in voor nieuwe banden, wat bij het vrijgeven van de baan een opmerkelijke top vijf oplevert: Rosberg, Felipe Massa, Fernando Alonso, Pascal Wehrlein en Esteban Gutiérrez.

Verstappen zit het niet mee. Hij kent een slechte start, moet lang wachten in de pits op collega Carlos Sainz die nog geholpen wordt en maakt een foutje bij terugkeer op de baan, wat hem op de twintigste plaats doet belanden.

Na de tweede pitstop zijn het Rosberg, Kvyat en Vettel die de race leiden. Rosberg kan onbedreigd doorrijden naar de winst, maar Kvyat ziet uiteindelijk de snellere Vettel langszij komen. Ricciardo, Räikkönen, Hamilton en Verstappen vechten zich allemaal vanuit het achterveld naar voren. Verstappens inhaalrace strandt aan de finish op de achtste plaats, op minder dan een seconde van Hamilton.

MAX VERSTAPPEN NA DE RACE:

'Een race vol actie! Bij de start had ik een goede eerste reactie, maar daarna kon ik mijn positie helaas niet vasthouden. Vanaf dat moment was het erg lastig. De safetycar hielp niet en ik verloor nog meer tijd door onze dubbele pitstop, wat weer betekende dat ik achteraan het veld moest aansluiten. Maar ik bleef kalm en haalde de andere auto's een voor een in.

Om uiteindelijk als achtste over de streep te gaan is iets wat ik, als iemand mij dat aan het begin van de race had verteld, niet geloofd zou hebben! Ik denk ook dat het team strategisch geweldig werk heeft verricht. We waren in staat om door het veld op te stomen en zo meer punten te scoren.'

UITSLAG FORMULE 1 GRAND PRIX VAN CHINA 2016

1 Nico Rosberg (Mercedes)
2 Sebastian Vettel (Ferrari)
3 Daniil Kvyat (Red Bull)
4 Daniel Ricciardo (Red Bull)
5 Kimi Räikkönen (Ferrari)
6 Felipe Massa (Williams)
7 Lewis Hamilton (Mercedes)
8 Max Verstappen (Toro Rosso)
9 Carlos Sainz (Toro Rosso)
10 Valtteri Bottas (Williams)
11 Sergio Pérez (Force India)
12 Fernando Alonso (McLaren)
13 Jenson Button (McLaren)
14 Esteban Gutiérrez (Haas)
15 Nico Hülkenberg (Force India)
16 Marcus Ericsson (Sauber)
17 Kevin Magnussen (Renault)
18 Pascal Wehrlein (Manor)
19 Romain Grosjean (Haas)
20 Felipe Nasr (Sauber)
21 Rio Haryanto (Manor)
22 Jolyon Palmer (Renault)

Driver of the Day: Daniil Kvyat (Red Bull)

WK-COUREURS			WK-CONSTRUCTEURS		
1	Nico Rosberg	75	1	Mercedes	114
2	Lewis Hamilton	39	2	Ferrari	61
3	Daniel Ricciardo	36	3	Red Bull	57
4	Sebastian Vettel	33	4	Williams	29
5	Kimi Räikkönen	28	5	Haas	18
9	Max Verstappen	13			

Jack is back

JACK PLOOIJ

Zeven jaar geleden versloeg ik mijn laatste Grand Prix voor SBS. Toen de rechten weer teruggingen naar RTL was het onduidelijk of Olav en ik mee zouden gaan. Mij was duidelijk gemaakt dat ik wel mee kon naar RTL, maar dan zou ik niks verdienen. Ik heb altijd de stelling gehad: als er gewerkt wordt, wordt er verdiend en als er niet gewerkt wordt, dan niet. Ik ging dus niet akkoord. De toenmalige baas van RTL, Jaap Hofman, besloot om Allard Kalff de job van pitreporter te gunnen, omdat die al een contract had bij RTL en het er dus voor niks bij ging doen. Bij de omroep was iedereen tevreden en ik verdween van het toneel. Wat erg lief was, was dat de toenmalige producer Michael Maas toen met een oude rode SBS-bloes de paddock rond is gegaan waar collega's die nu nog in de Formule 1 werken hun spreuken en handtekeningen op konden zetten. Sommigen van hen zijn op andere functies terechtgekomen, anderen zijn blijven zitten, onder wie veel dames en heren van bijvoorbeeld de catering en de pers.

In september 2015 werd ik gebeld door de productiemanager van het Formule 1-programma van Ziggo Sport, Kim Lee Yap, die mij verraste met de vraag: 'Jack, zou jij eens na willen denken of jij mee zou willen als pitreporter in de laatste twee races van 2015?' Ik flikkerde van mijn stoel op een terras in Göteborg. Ik was daar met mijn collega Wil Franken voor een congres over digitale implantologie. Dat is het plaatsen van tandheelkundige implantaten met behulp van computergestuurde modellen, wat voor ons implantologen een spectaculaire uitdaging betekent. Wil is een studievriend, we kennen elkaar al honderdtwintig jaar, we zijn samen een praktijk in Duitsland begonnen, samen alle congressen af geweest; we hebben samen alles gedaan. Ik vond het geweldig dat hij erbij was toen Kim me belde.

Het zou weliswaar tijdelijk zijn, om aan Sport 1/Ziggo Sport te laten zien wat we zouden kunnen bereiken. Uiteindelijk, na het maken van een begroting, is het feest toen niet doorgegaan, maar het markeert wel het begin van mijn terugkeer. Olav heeft natuurlijk jarenlang alles alleen moeten doen, zonder cameraman, producer en pitreporter. Ook voor Olav was er vanaf dat moment licht aan het einde van de tunnel.

De afgelopen jaren had ik een huis in Spanje op ongeveer vijfhonderd meter van dat van Olav. We kwamen regelmatig bij elkaar op de koffie om ervaringen uit te wisselen, waarbij ik Olav vaak een hart onder de riem stak: 'Kom op, hou vol, het gaat goed komen.' In die tijd hebben we ook veel zitten brainstormen. Konden we niet een sponsor vinden die het pitreport wilde betalen? Uiteindelijk heeft Olav het met heel veel masseren en uitleg voor elkaar gekregen dat ik er weer bij ben.

Nadat die laatste twee races van 2015 voor mij niet doorgingen, moest ik voor mijn gevoel héél lang wachten op dat verlossende telefoontje van Kim. Maar ze belde: 'Nou Jack, we gaan om de tafel. We spreken af in

Amsterdam en dan gaan we eens kijken of we een deal kunnen maken.' We zaten daar met een aantal mensen bij elkaar. Kim was er, net als Mark van Knippenberg, de nieuwe producer die ik nog nooit had ontmoet maar die Olav al wel ondersteunde, en Emiel Gobes van Southfields. Southfields is het productiebedrijf dat in opdracht van Ziggo Sport het programma rondom de Formule 1 maakt. We waren er snel uit: ik mocht voor een jaar weer mee. Het was kort dag, dus ik moest mijn schema in de tandartspraktijk behoorlijk aanpassen. Nadat ik mijn collega's van Dental Clinics om goedkeuring had gevraagd, kon de champagne open. Ik was ongelooflijk blij met mijn terugkeer naar de pitstraat.

Ik was dan wel even weg, allerlei oude bekenden zitten er nog steeds, van wie er velen inmiddels van plaats zijn gewisseld. Zo kwam ik voor de eerste race dit jaar in Australië aan, en toen ik mijn koffer van de band haalde stond er iemand naast me: '*Hey, you're back!*' Het was Bradley Lord. Bradley en ik zijn tegelijkertijd begonnen in de Formule 1, zo'n vijftien jaar geleden. Hij studeerde communicatie en begon bij het toenmalige team van Renault. 'Bradley,' zei ik toen, 'we zijn allebei nieuw, we gaan de teams af en kijken wat we allemaal kunnen leren en wie we allemaal kunnen leren kennen.' Ik heb met Bradley van alles meegemaakt, waaronder het eerste wereldkampioenschap van Fernando Alonso bij Renault. We hebben samen feestjes gevierd, borrels gedronken en heel hard gewerkt. En nu stond hij dus ineens weer naast me bij de bagageband, maar nu als *head of communications* van Mercedes. Bij ons weerzien op het vliegveld noteerde hij direct mijn mobiele nummer; de eerste lijn van informatie werd me gelijk op mijn eerste dag al aangeboden. En dat is het allerbelangrijkste in de Formule 1: je netwerk.

Zijn functie betekent dat Bradley bij een Grand Prix naast teambaas Toto Wolff in de garage staat en dat hij ervoor zorgt dat alle communicatie van het Mercedes Formule 1-team op dezelfde manier door dezelfde persoon naar buiten wordt gebracht.

De head of communications is degene die je moet contacteren als je een rijder aan tafel wilt voor een een-op-een-interview. Die beoordeelt dan of je daar recht op hebt, of je belangrijk genoeg bent en of het niet al te druk is in dat weekend. Je moet de weekenden dan ook ver vooruit plannen. Een heleboel teams hebben twee *press officers*, persheren of -dames die je op televisie bij het vierkantje voor de interviews met zo'n recordertje met de coureurs mee ziet lopen.

Nou heb je leuke en minder leuke press officers, die hun werk goed of minder goed doen. Stewart en Sara bij nieuwkomer Haas zijn bijvoorbeeld zeer behulpzaam. Dat is ook logisch, want het is een nieuw team dat graag zoveel mogelijk aandacht wil, dus helpen ze ons zoveel mogelijk mee. Bij Renault zit al jaren Andy Stobart, een geweldige kerel met wie je lekker een biertje kunt drinken. Bij McLaren staat oudgediende Silvia Hoffer aan het roer, die we nog kennen uit haar tijd bij Williams. Zij zorgt ervoor dat we vrije toegang hebben tot Fernando Alonso en Jenson Button. Bij Williams zitten wat nieuwe mensen, maar de bazin Sophie Ogg kennen we weer wat langer. Daar kunnen we meestal prima de dingen regelen. Bij Red Bull is het allemaal hosanna, want daar gaat natuurlijk heel veel via de marketingafdeling. Ben Wyatt is daar het hoofd, Anna Pamin zorgt met name voor de zaken van Daniel Ricciardo, James Ranson vertegenwoordigt die voor Max Verstappen. Ferrari is een drama, daar komen we later in dit boek nog op terug, maar daar werkt eigenlijk helemaal niks via de persafdeling.

Bij Mercedes loopt alles zoals gezegd via Bradley Lord. Bradley heeft een ontzettend lieve collega, Rosa Herrero Venegas, zij regelt alle zaken voor Lewis Hamilton. Via haar en Bradley hebben we de exclusiviteit gekregen van een interview met Lewis Hamilton. Ik kan je verzekeren: dat is een hele klus geweest, maar uiteindelijk was Lewis te gast bij Olav in Maleisië. Dat was allemaal dankzij de relatie die Olav in de loop der jaren met de coureur heeft opgebouwd. Zoals ik al zei: je netwerk is alles.

Het wrange is dat mijn grote vriend Wil Franken mijn comeback helaas nooit heeft kunnen meemaken. Op een nacht voelde hij zich niet lekker, ging beneden op de bank liggen en is helaas nooit meer wakker geworden. Ik mis hem vreselijk en vind het ongelooflijk klote dat ik niet met hem kan delen dat het toch gelukt is. Hij was nou juist degene die het me het meest gunde, en in een wereld van tandartsen waarin iedereen zo jaloers is als de pest, is dat een zeldzaamheid. Ik bewaar zijn laatste whatsappjes nog altijd in mijn telefoon. Soms, als we in een wat lastigere periode zitten, pak ik ze erbij en denk: *ouwe reus, zie je wel. Ik heb het geflikt. Ik ben er weer, in de paddock.*

Ronde 4: GP van Rusland, 1 mei

ERIK HOUBEN

Voor de tweede keer op rij heeft Lewis Hamilton problemen in de kwalificatie. Zijn hybride systeem werkt niet goed en dat zorgt ervoor dat hij in Sotsji tijdens de laatste sessie op zaterdag geen tijd kan noteren. Hij moet als tiende starten. Nico Rosberg vertrekt van pole met achter hem Sebastian Vettel, Valtteri Bottas, Kimi Räikkönen, Felipe Massa en Daniel Ricciardo. Max Verstappen start als negende.

In de eerste bochten op zijn thuiscircuit weet de als achtste gestarte Daniil Kvyat tot twee keer toe Vettel van achteren te raken. De Duitser belandt daardoor in de muur en de Rus mag de pits in, om daar onder het oog van onder meer president Vladimir Poetin voor straf tien seconden stil te staan. Verder naar achteren in het veld tikt Esteban Gutiérrez Nico Hülkenberg aan, die vervolgens Rio Haryanto raakt en daarmee voor zichzelf en de Indonesiër de race beëindigt. De safetycar komt de baan op zodat de brokken kunnen worden opgeruimd en verschillende rijders gaan naar binnen voor reparatiewerk.

Na wat schermutselingen bij het hervatten van de race is de top zes: Rosberg, Bottas, Hamilton, Räikkönen, Massa en Verstappen. Bij de pitstops die volgen verliest Bottas twee plaatsen, Verstappen weet zijn zesde plaats te behouden. In ronde 34 moet de Nederlander echter zijn Toro Rosso langs de baan parkeren met een defecte motor.

In de laatste twintig ronden die volgen wijzigt er niets meer in de top tien, behalve dat Jenson Button vier ronden voor de finish het puntje van Carlos Sainz afpakt door de Spanjaard te passeren voor plaats tien. Rosberg boekt zijn zevende Grand Prixzege op rij, wat in de loop der tijden slechts door drie anderen is gepresteerd: Alberto Ascari, Michael Schumacher en Sebastian Vettel.

REACTIE MAX VERSTAPPEN NA DE RACE:

'De start was niet goed, want het toerental viel helemaal weg. Daarna klapte alles op elkaar aan de binnenkant, terwijl ik buitenom ging in bocht drie. Daar had ik wat geluk. Daarna ging het prima, niks aan de hand. Het was eigenlijk een hele makkelijke race. Voor ons was iedereen sneller en erachter langzamer. Helaas ging daarna de motor kapot.

We hadden makkelijk zesde kunnen worden en wie weet zat er nog wel meer in, omdat Williams nog een keer is gestopt toen zijn banden op waren. Ik ben natuurlijk teleurgesteld, want we hebben geen punten gehaald, maar aan de andere kant ben ik wel blij met hoe het ging.'

UITSLAG FORMULE 1 GRAND PRIX VAN RUSLAND 2016

1 Nico Rosberg (Mercedes)
2 Lewis Hamilton (Mercedes)
3 Kimi Räikkönen (Ferrari)
4 Valtteri Bottas (Williams)
5 Felipe Massa (Williams)
6 Fernando Alonso (McLaren)
7 Kevin Magnussen (Renault)
8 Romain Grosjean (Haas)
9 Sergio Pérez (Force India)
10 Jenson Button (McLaren)
11 Daniel Ricciardo (Red Bull)
12 Carlos Sainz (Toro Rosso)
13 Jolyon Palmer (Renault)
14 Marcus Ericsson (Sauber)
15 Daniil Kvyat (Red Bull)
16 Felipe Nasr (Sauber)
17 Esteban Gutiérrez (Haas)
18 Pascal Wehrlein (Manor)
DNF Max Verstappen (Toro Rosso) – motor
DNF Sebastian Vettel (Ferrari) – aanrijding
DNF Nico Hülkenberg (Force India) – aanrijding
DNF Rio Haryanto (Manor) – aanrijding

Driver of the Day: Kevin Magnussen (Renault)

WK-COUREURS			WK-CONSTRUCTEURS		
1	Nico Rosberg	100	1	Mercedes	157
2	Lewis Hamilton	57	2	Ferrari	76
3	Kimi Räikkönen	43	3	Red Bull	57
4	Daniel Ricciardo	36	4	Williams	51
5	Sebastian Vettel	33	5	Haas	22
9	Max Verstappen	13			

Rosberg versus Hamilton: +43 voor Nico

OLAV MOL

Nico Rosberg kende een 100 procentstart van het seizoen 2016 met klinkende overwinningen in Australië, Bahrein, China en Rusland. Regerend wereldkampioen Lewis Hamilton pakte drie podia en in China zelfs een zevende positie. In Australië had hij een probleem met zijn auto bij de start, maar mocht hij vanwege de nieuwe regels niet door zijn team worden geholpen om het op te lossen. In Bahrein kwam hij Valtteri Bottas tegen en moest naar binnen met een beschadigde vleugel, maar de Mercedesdominantie was wel groot genoeg dat Hamilton alsnog richting het podium kon, al moest hij wel Kimi Räikkönen voor zich dulden. In China moest hij achteraan starten: hij had – wederom door een probleem met zijn auto – niet deelgenomen aan de kwalificatie, maar uiteindelijk knokte hij zich toch naar een zevende positie toe. Dat leverde hem zes puntjes op. In Rusland weet hij wel achter Nico Rosberg aan te rijden en wordt hij tweede.

Dat levert na de eerste vier wedstrijden Nico Rosberg een perfecte score van 100 punten op, waarmee hij maar liefst 43 punten voorligt op Lewis Hamilton.

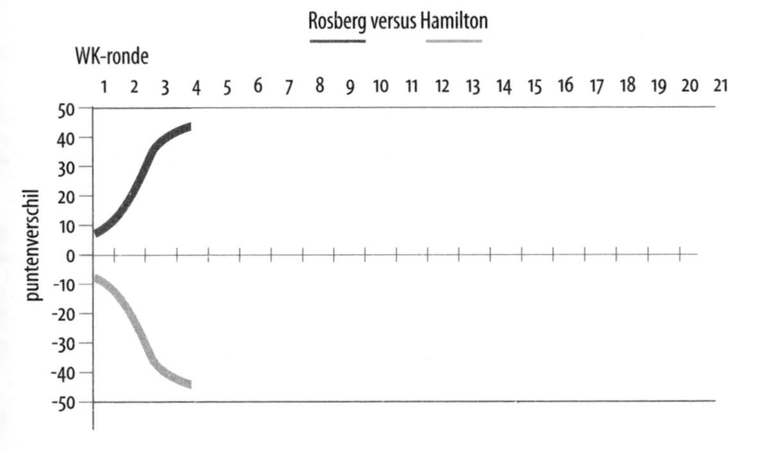
Rosberg versus Hamilton
WK-ronde
1 2 3 4 5 6 7 8 9 10 11 12 13 14 15 16 17 18 19 20 21
puntenverschil
50
40
30
20
10
0
-10
-20
-30
-40
-50

Reuring in Rusland

OLAV MOL

De kwalificatie in Sotsji zat er net op en ik liep terug naar de paddock. Vanaf de commentaarpositie duurt die wandeling ongeveer acht, negen minuten en dan heb je altijd even tijd om na te denken over de zaken die nog spelen sinds de vorige race. Je passeert het olympisch park, je loopt een trap op en via een overkapte brug bereik je de paddock. De poortjes bij de ingang openen als je je pas ertegenaan houdt, en nadat je bent doorgelopen kom je terecht in, zoals ik het altijd noem, *the bubble*. Waar ter wereld je ook bent, of het nu in Mexico City is met alle problemen op de wegen buiten het circuit, of Spa met zijn files en drukte, in the bubble is het altijd rustig en veilig.

Ik had nog geen drie stappen in de paddock gedaan en daar kwam de Engelse journalist James Allen naar mij toe. 'Wat heb jij gehoord van een vechtpartij tussen Jos Verstappen en Franz Tost?' vroeg hij.

'Helemaal niks,' zei ik, 'maar ik zal eens gaan vragen.'

Nog een paar stappen verder stelde oud-coureur en tv-verslaggever Martin Brundle me dezelfde vraag. Toen voelde ik wel de noodzaak om Jos even op te zoeken en te vragen wat er aan de hand was.

Jos kwam ik snel tegen. Hij zat rustig aan een tafeltje met Raymond Vermeulen, de manager van Max. 'Een vechtpartij?' vroeg hij. 'Ik weet helemaal van niks. Geen idee.' Het enige wat er was gebeurd, was dat hij vlak na de kwalificatie achter de pitbox had gestaan en Franz Tost naar buiten was komen stieren om en plein public zijn ongenoegen tegenover hem te uiten over de beslissing die Xevi en Max in de kwalificatie hadden genomen.

Later heb ik begrepen dat het ging over het inzetten van nog een setje van de zachtste snelste band om in ieder geval te proberen zo ver mogelijk naar voren te staan. Het tafereel achter de pitbox was gezien door een Spanjaard die op afstand stond en er dus geen woord van hoorde, maar vervolgens had getwitterd over 'een handgemeen' tussen Jos en Franz Tost. Sinds de samenwerking tussen Max en Carlos hebben de Spanjaarden de neiging om reuring te maken, en al is het soms terecht, in dit geval was het totaal onterecht. Ook de rest van het team wist van niks. Ja, Franz was niet blij, maar dat was het dan ook.

Na de gebeurtenissen in Australië en de nabesprekingen in Bahrein, had Red Bull besloten om John Booth, de ex-teambaas van Manor, aan het team van Toro Rosso toe te voegen. Die was in Rusland pas voor het eerst mee om een beetje te kijken en luisteren. Het was gek om Booth, een grote rustige man met veel verstand van racen en de werking van teams, in Toro Rossokleding te zien rondlopen. Die had meteen al een fijn weekend, want de ingezette eilandjesvorming bleek in Rusland nog veel sterker te zijn. In de garage van Toro Rosso waren nu echt twee kampen. Bovendien deden er allerlei verhalen de ronde over Daniil Kvyat, die dan wel een podium had gepakt in China, maar toch bij Red Bull Racing onder druk stond.

Dat is wat er naar buiten kwam en aan het eind van de zaterdag was er een overduidelijk signaal dat er iets stond te gebeuren. Buiten bij Red Bull Racing zaten Helmut Marko, Jos Verstappen, Max Verstappen en Raymond Vermeulen aan een tafeltje met elkaar te praten, zichtbaar voor iedereen. De daaropvolgende dinsdag werd bekendgemaakt dat Daniil Kvyat en Max Verstappen van stoel gingen ruilen.

Het was niet zozeer dat Red Bull van Daniil Kvyat af moest of wilde, het was meer dat ze Max moesten faciliteren. De toestand bij Toro Rosso was dusdanig slecht dat meerdere mensen tegen mij zeiden: 'Die Franz, die is echt niet goed bij zijn hoofd. Die man doet dingen die echt niet kunnen.' Tost was niet meer in staat om de situatie waarin hij terechtgekomen was in goede banen te leiden. Misschien omdat hij onpartijdig wilde blijven en niet de een het voordeel wilde gunnen ten opzichte van de ander. Maar als je dat doet en een van de twee heet Verstappen, dan weet je dat die het voordeel naar zich toe zal willen trekken. En dat is zijn goed recht; het is het gevecht dat iedereen moet leveren.

Veel later, bij een bakje koffie op een terras in Singapore, kwam mij ter ore dat Jos die bewuste dinsdagmiddag een telefoontje kreeg van Helmut Marko. Hij nam op met de woorden: 'Moeten we komen?' Toen Helmut bevestigend antwoordde, zijn ze naar Oostenrijk gevlogen, waar het uiteindelijk werd vastgelegd en beklonken. 'Ik voelde dat het uiteindelijk misschien wel die kant op zou gaan,' vertelde Jos me later.

Wat natuurlijk niet meehielp was dat Daniil Kvyat tijdens de openingsfase van de race in Rusland nóg twee keer tegen Sebastian Vettel aanreed. Daarmee gaf hij Red Bull alleen maar een dikkere stok waarmee ze hem konden slaan. Het was geen ontslag, Daniil Kvyat weet echt wel hoe je hard met een auto moet racen, maar het was meer om Max te faciliteren én om te zorgen dat andere teams hem niet weg zouden halen. Ferrari had desgevraagd al laten weten dat ze interesse hadden en ook Mercedes, dat Max al wilde contracteren voor 2015 maar nog geen F1-stoeltje kon garanderen, liet een aantal keer met lovende tweetjes weten dat het van Max' rijkunsten gecharmeerd was. Dit is het politieke spel op de achtergrond, om een coureur indirect te laten weten dat de deur openstaat, mocht hij ooit een stap overwegen. Dat spel is door iedereen op volle sterkte gespeeld en de grote winnaar daarin is wat mij betreft Nederland, evenals Helmut Marko. Laten we immers niet vergeten dat met alles wat er gebeurde je toch echt inzicht én ballen nodig hebt om zo'n move uiteindelijk uit te kunnen spreken.

Het bracht meteen ook wat rust op de rijdersmarkt, al ging op dat moment nog steeds het gerucht dat Nico Rosberg aan het flirten was met Ferrari, omdat het ook voor Rosberg nog niet zeker was of hij voor 2017 een contract zou krijgen bij Mercedes.

Het zijn de politieke spelletjes van de paddock, *paddock politics* genoemd, en die gaan heel ver. Als mensen héél openlijk met elkaar gaan zitten praten, dan doen ze dat meestal om reuring te krijgen in de pers. Op het moment dat jij een gesprek wilt voeren met iemand waarvan je niet wil dat mensen het weten, dan doe je dat niet op het circuit. En als je het toch op het circuit doet, dan doe je dat niet in het oog van tv-camera's, persmuskieten en fotografen. Als je buiten openlijk gaat zitten praten op het moment dat er dingen spelen, dan weet je: daar komt reuring van. Misschien is dat precies wel wat Red Bull Racing wilde: Max Verstappen in de auto.

Ronde 5: GP van Spanje, 15 mei

ERIK HOUBEN

Max Verstappen debuteert in Barcelona voor Red Bull Racing en kwalificeert zich op zaterdag als vierde voor de race. Vóór hem op de startgrid staan Lewis Hamilton, Nico Rosberg en Verstappens nieuwe teamgenoot Daniel Ricciardo. Achter hem staan de twee Ferrari's. De lichten gaan uit en op Kimi Räikkönen na is de top zes goed weg. In bocht één pakt Rosberg de leiding voor Hamilton en Ricciardo. Sebastian Vettel weet Verstappen te passeren, maar twee bochten later pakt de Nederlander de Duitser buitenom weer terug voor plek vier.

Ervoor probeert Hamilton vervolgens Rosberg in te halen, maar raakt daarbij in het gras, slipt en sleept zijn teamgenoot mee tot in de grindbak naast bocht vier. De race is voorbij voor de twee titelrivalen. Ricciardo leidt de Grand Prix van Spanje met Verstappen in zijn kielzog. Ook Carlos Sainz profiteert: hij stuurt zijn Toro Rosso in de mêlee van bocht vier langs Vettel naar plek drie, een plek die hij pas zeven ronden later weer moet prijsgeven aan de Duitser.

Verstappen loopt iets in op Ricciardo, maar moet ook Vettel achter hem in de gaten houden. Ricciardo en Verstappen leiden de race tot aan hun tweede pitstop. De volgorde blijft na de tweede bandenwissel hetzelfde, maar aangezien Vettel en Ricciardo kiezen voor snellere softe banden zullen zij nog een derde stop moeten maken, terwijl Verstappen en Räikkönen medium banden pakken waarmee ze de race mogelijk uit kunnen rijden.

De keuze valt goed uit voor Verstappen, die na de derde stop van Ricciardo de leiding neemt en 22 ronden lang Räikkönen in zijn spiegels heeft. De achttienjarige Limburger weet zijn banden goed te sparen en de Fin achter zich te houden en wint als eerste Nederlander en jongste coureur ooit een Formule 1 Grand Prix.

MAX VERSTAPPEN NA DE RACE:

'Het is een ongelooflijk gevoel en ik had het helemaal niet verwacht. Om hier te winnen... geweldig! Ik heb er eigenlijk geen woorden voor. Ik was vandaag in goed gezelschap. Kimi heeft zelfs tegen mijn vader geracet, dus dat is erg grappig. Hij herinnerde me er zelfs nog aan.

In de eerste twee stints kwam ik een beetje vast te zitten. Ik kon er niet echt langs (langs Ricciardo, red.). De banden had ik goed onder controle, dus ik wilde geen drie stops maken. We planden daarom een tweestopper en dat was de beste strategie. Ik was op het einde niet nerveus, maar focuste me er vooral op om geen fouten te maken. Maar omdat ik het in mijn ronde na de finish zó hard vierde in mijn auto, heb ik nu wel een beetje kramp. Maar ja, dat hoort erbij.'

UITSLAG FORMULE 1 GRAND PRIX VAN SPANJE 2016

1 Max Verstappen (Red Bull)
2 Kimi Räikkönen (Ferrari)
3 Sebastian Vettel (Ferrari)
4 Daniel Ricciardo (Red Bull)
5 Valtteri Bottas (Williams)
6 Carlos Sainz (Toro Rosso)
7 Sergio Pérez (Force India)
8 Felipe Massa (Williams)
9 Jenson Button (McLaren)
10 Daniil Kvyat (Toro Rosso)
11 Esteban Gutiérrez (Haas)
12 Marcus Ericsson (Sauber)
13 Jolyon Palmer (Renault)
14 Felipe Nasr (Sauber)
15 Kevin Magnussen (Renault)
16 Pascal Wehrlein (Manor)
17 Rio Haryanto (Manor)
DNF Romain Grosjean (Haas) – remmen
DNF Fernando Alonso (McLaren) – motor
DNF Nico Hülkenberg (Force India) – olielekkage
DNF Lewis Hamilton (Mercedes) – aanrijding
DNF Nico Rosberg (Mercedes) – aanrijding

Driver of the Day: Max Verstappen (Red Bull)

WK-COUREURS			WK-CONSTRUCTEURS		
1	Nico Rosberg	100	1	Mercedes	157
2	Kimi Räikkönen	61	2	Ferrari	109
3	Lewis Hamilton	57	3	Red Bull	94
4	Sebastian Vettel	48	4	Williams	65
5	Daniel Ricciardo	48	5	Toro Rosso	26
6	Max Verstappen	38			

Yo hey, yo ho!

De overwinning van Max Verstappen op 15 mei 2016 in Barcelona was een historisch moment. Het commentaar van Olav Mol tijdens de laatste ronde in Barcelona:

Nederland, Nederland.
Wat is dit bizar.
Nog een half rondje voor Max Verstappen.
Negen tienden Kimi Räikkönen.
Toch weer duwen, toch weer trekken.
Maar nu komen we in Verstappenland, want hier heeft-ie 'm steeds weg kunnen houden.
Zes tienden, even aanremmen nog.
De druk staat nog steeds vol op de ketel voor de Nederlander Max Verstappen.
Man, dat ik dit als commentator meemaak... je lúlt niet meer.
Bizar, fucking *bizar.*
Jaren zit je naar dingen te kijken en te hopen, en daar is-ie.
Max Verstappen in de laatste bocht in Barcelona.
Yo hey, yo ho, yo fucking ho wat bizar.
Ongelooflijk.
Sportoverwinningen zijn zo mooi en deze is de allermooiste die ik in m'n leven gezien heb.
What is happening? *roepen ze hier.*
Sjongejongejonge.
Straatfeest!

Sportoverwinningen zijn zo mooi

OLAV MOL

De zondag van de Grote Prijs van Spanje begon zoals elke andere zondag. Om kwart over zes gaat de wekker, opstaan, douchen, klaarmaken en om zeven uur in de auto naar het circuit. Vanaf het Campagnillehotel, waar wij altijd slapen, is dat een minuut of twaalf, dertien met de auto. Het hotel zelf is niet veel bijzonders, maar de ligging maakt veel goed. We kwamen het circuit oprijden en aan de rechterkant – daar heb je van die campinkjes – zagen we al wat Nederlandse vlaggen. Ik had natuurlijk nog geen vermoeden wat voor een dag het zou gaan worden.

Zoals gewoonlijk begonnen we met een cappuccinotje bij de mannen van het team van Red Bull, gevolgd door onze vaste *morning call*, een ochtendvergadering met zijn drieën; cameraman (in dit geval Arjen Ekster), Jack Plooij en ik. Daarin nemen we de dingen door die voor die dag in de planning staan, bespreken we nog het statement dat ik moet maken voor de opening van de uitzending en mijn item voor het programma op de dinsdagavond, *F1 Fans Only*, waar Jack de beelden voor verzorgt.

Omdat Max Verstappen nu ineens Red Bullcoureur was, waren de voorbije dagen anders geweest. Donderdag hadden we al samen gezeten met de persmensen van het team om te kijken of we de afspraken die we met Max hadden gewoon door konden zetten. Als Nederlandse televisie zijn wij zeker niet zo groot als Engeland, Duitsland of Italië, maar ons voordeel was dat wij nu een landsman in de auto hadden. Bij Toro Rosso hadden we altijd een afspraak met Max op de vrijdag tussen half zes en zes uur, na de rijdersbriefing van vijf uur 's middags, waar de F1-coureurs met raceleider Charlie Whiting om de tafel zitten om dingen van het weekend door te nemen. Bij Red Bull zagen ze dat anders. 'We gaan dat doen om vijf over half vier,' zei de persman.

'Dat is interessant,' antwoordde ik. 'Dat is vijf minuten na afloop van de tweede vrije training.'

'Ja, maar om vier uur moet hij bij de engineers zijn, dat kan lang duren, en dan moet hij om vijf uur bij de rijdersbriefing zijn en daarna hebben we nog dit en daarna nog dat...' Het leven van Max Verstappen bij Red Bull Racing was een stuk drukker dan het bij het team van Toro Rosso was geweest.

De zondagochtend van een Grand Prix is voor mij een ritueel, net als de zaterdag voor de kwalificatie. Ik ben altijd een uur voor de kwalificatie en twee uur voor de race in mijn commentaarpositie om me voor te bereiden. Ik kom binnen, hang een vuilniszak (of iets anders) voor het raam, zodat ik geen last heb van het tegenlicht. De commentaarposities in Barcelona zijn behoorlijk groot; vier meter diep en vier meter breed, met een enorme glaswand. Allereerst maak ik contact met de *master control room* in Amsterdam. In de MCR komen alle verbindingen als eerste binnen en van daaruit wordt ook het televisiesignaal verzonden. Het is het technische hart van het televisiestation. Vervolgens praat ik met de audio-engineer en doen we een *synch test*, om ons ervan te verzekeren dat het geluid synchroon loopt met het beeld waarover ik praat. Als daar een verschil in zit dan ben ik thuis bijvoorbeeld te vroeg te horen, dat de coureurs nog stilstaan op tv, maar ik roep: 'Wat een goede start van Lewis Hamilton.' Of ik ben te laat, waarbij de coureurs al bij de eerste bocht zijn en ik pas na een paar seconden roep: 'En daar gaan we van start ...'.

Als dat gedaan is begin ik te werken aan wat ik zelf 'mijn behangetje' noem. Deels op de zaterdag, maar helemaal op de zondag is de muur van mijn commentaarpositie één groot behang. Daar hangen allemaal vellen en briefjes met informatie die ik nodig kan hebben voor de wedstrijd: nieuwtjes, wetenswaardigheden of achtergrondinformatie over de coureurs. Van elke coureur hangt er een biografie met informatie over hoe oud hij is, waar hij geboren is, zijn eerste wedstrijd, zijn carrièreverloop tot dat moment, et cetera. Tegenwoordig zijn er veel meer *facts* en *figures* en statistieken bekend en beschikbaar dan vroeger, dus hangen er ook meer papieren aan de muur.

Het was een heel normale zondag, zoals ik ze de vijfentwintig jaar ervoor had meegemaakt. Ik leefde rustig naar de wedstrijd toe, had geen voorgevoel dat er iets groots ophanden was. Het enige is, en dat kwam pas na de wedstrijd weer naar boven, dat de kop van het statement dat ik voor de uitzending had ingesproken luidde: '15 mei 2016. Wordt dat een hele mooie dag voor Nederland?'

En toen ging de Grand Prix van Spanje van start. Eén bocht, twee bochten, drie bochten, een prachtige inhaalmanoeuvre van Verstappen buitenom bij Vettel en dan ketsen die beide Mercedessen van de baan af, waar ik op dat moment wel blij mee was. Ook al gunde ik ze het niet, de dominantie van Mercedes is de afgelopen jaren zo groot, dat ik op dat moment dacht: dit is wel héél fijn voor de wedstrijd. Vrij snel daarna realiseerde ik me dat de Red Bulls daardoor op plek één en twee kwamen te liggen.

Toen kwam het punt dat Max Verstappen de wedstrijd leidde. Voor het eerst een Nederlander aan de leiding in een Grand Prix en niet voor één rondje, maar voor een paar, al zat Kimi Räikkönen hem verduiveld dicht op de hielen. Ik controleerde de tijden op de computer en zag dat hij met zeven tienden voorsprong het rechte stuk op zou komen. Dan zou Räikkönen hem net niet in kunnen halen. Uiteindelijk werden dat zes tienden. Op dat moment ben ik me gaan concentreren op hoe Max die laatste bocht telkens nam bij het opkomen van het rechte stuk. Kimi Räikkönen kon daardoor steeds niet een echte aanval wagen. Max hield stand. *Dit gaat toch niet gebeuren?* ging het door mijn hoofd. De voortekenen waren goed. Hoe ging het met de banden? Hoe zat het met de tactiek? Vier rondes voor het einde plofte er ineens een achterband bij Ricciardo en werd het even nóg spannender, maar toen kwamen toch echt die laatste rondjes.

Wat er toen gebeurde is eigenlijk niet met een pen te beschrijven. Allerlei dingen kwamen mijn hoofd binnen, allerlei herinneringen, emoties, alle keren dat ik gepraat had over mooie overwinningen, nooit van een Nederlander, schandalige overwinningen (Michael Schumacher in Oostenrijk, waarbij Rubens Barrichello hem moest voorlaten) en zo kan ik nog wel even doorgaan. Max begon aan zijn laatste ronde. *Dit gaat gebeuren*, dacht ik. *Dit gaat echt gebeuren.*

Mede door de klapband van Ricciardo zat ik met mijn been mee te wiebelen. Och jongen, dat ding moet heel blijven, dat ding moet heel blijven. Ook achter op het circuit van Barcelona is er een recht stuk en daar had Max weer een normale voorsprong van ongeveer een seconde. '...en nu komen we in Verstappenland,' was mijn commentaar, want dat was het deel waar hij zo sterk was.

Daarna won de strot het van mijn hoofd. Je kunt dan van alles bedenken wat je wilt zeggen, maar al naar gelang die finishlijn dichterbij kwam werd mijn keel verder dichtgeknepen, dacht ik aan mijn overleden vrouw, had ik herinneringen aan minder spectaculaire wedstrijden en zei ik hardop: 'Jarenlang zit je naar dingen te kijken...' Je weet dan dus ook niet wat er uitkomt op het moment dát de finish daar is.

Dat was het inmiddels beroemde en beruchte 'Yo hey, yo ho'. Daar zat ik, als een klein kind met dikke tranen in mijn ogen te proberen mijn werk te doen, maar dat gíng helemaal niet. Het overkwam mij ook, die ongelooflijk mooie prestatie van Max: de allereerste keer bij het team, de allereerste keer in die auto, en dan die race winnen. Die monteur, een Fin volgens mij, die roept '*What's happening? What's happening?*' Ook dat beeld heb ik nog heel erg op mijn netvlies staan.

Ik zag een geëmotioneerde Jos Verstappen en een geëmotioneerde Max Verstappen op dat podium. Het Nederlandse volkslied klonk en daarna relativeerde ik mezelf tegenover het Nederlandse volk, inmiddels zo'n anderhalf miljoen kijkers, door te zeggen: 'Ja, daar zit je dan met je grote bek.'

Wat er daarna allemaal gebeurde was natuurlijk waanzinnig. Ik woon zeshonderd kilometer bij Barcelona vandaan, dus ik had gedacht dat ik 's avonds gewoon naar huis zou rijden. Nou, dat werd dus allemaal even anders. We moesten her en der verdeeld worden over allerlei televisieprogramma's. Ikzelf ging met de vader van Jos en met Robert Doornbos richting *Pauw*, Jack ging naar RTL *Late Night*. De telefoon rinkelde onafgebroken met allerlei verzoeken om interviews.

Ik was donderdagochtend weggereden van huis én zou zondagavond weer huiswaarts keren. Uiteindelijk kwam ik pas thuis op woensdagavond. Naar Amsterdam gevlogen, weer terug naar Barcelona en toen nog die rit van zeshonderd kilometer met de auto. Ik had het allemaal voor geen goud willen missen.

Ronde 6: GP van Monaco, 29 mei

ERIK HOUBEN

Voor het eerst in 2016 staat er geen Mercedes op poleposition, maar een Red Bull: die van Daniel Ricciardo. De Australiër is op zaterdag sneller dan Nico Rosberg en Lewis Hamilton, die van plaats twee en drie vertrekken. Max Verstappen is bij de kwalificatie gecrasht en moet bijna achteraan starten op P21.

De baan is bij de start op zondag nog nat van de regen en het veld start achter de safetycar. In ronde zeven begint de race pas echt. Ricciardo weet in de ronden die volgen een voorsprong van meer dan tien seconden op te bouwen ten opzichte van het Mercedesduo, waarvan Hamilton Rosberg inmiddels is gepasseerd. Jolyon Palmer en Kimi Räikkönen zijn dan al uitgevallen na contact met de vangrail. Verstappen passeert de een na de ander en bereikt zo de top tien.

Halverwege de race ontneemt een fout van Red Bull Racing Ricciardo de kans op de zege. Als hij binnenkomt voor een wissel naar slicks (droogweerbanden) staat het team met de verkeerde banden klaar. Hij verliest daardoor zoveel tijd dat Hamilton de leiding kan pakken. Ricciardo valt wel aan bij Hamilton, maar hij komt er niet voorbij. Verstappen ligt inmiddels negende, maar schiet in de bocht Massenet aan de buitenkant de vangrail in en moet zijn race staken.

Hamilton weet de leiding te behouden en wint de Grand Prix, vóór Ricciardo. De als achtste gestarte Sergio Pérez wordt derde en mag naar de ceremonie in de loge van prins Albert van Monaco.

REACTIE MAX VERSTAPPEN NA DE RACE:

'Enorm teleurstellend, vooral ook naar het team toe, want dit mag natuurlijk niet gebeuren. Ik blokkeerde en raakte op het natte deel buiten de ideale lijn, dus daarna kon ik niks meer doen. Daarvoor ging het qua snelheid wel goed.

We moeten nu de knop omzetten. Ik had een goede race natuurlijk, vorige keer in Barcelona. Hier zat het even tegen, maar we gaan er weer vol voor in Canada.'

UITSLAG FORMULE 1 GRAND PRIX VAN MONACO 2016

1 Lewis Hamilton (Mercedes)
2 Daniel Ricciardo (Red Bull)
3 Sergio Pérez (Force India)
4 Sebastian Vettel (Ferrari)
5 Fernando Alonso (McLaren)
6 Nico Hülkenberg (Force India)
7 Nico Rosberg (Mercedes)
8 Carlos Sainz (Toro Rosso)
9 Jenson Button (McLaren)
10 Felipe Massa (Williams)
11 Esteban Gutiérrez (Haas)
12 Valtteri Bottas (Williams)
13 Romain Grosjean (Haas)
14 Pascal Wehrlein (Manor)
15 Rio Haryanto (Manor)
DNF Marcus Ericsson (Sauber) – aanrijding
DNF Felipe Nasr (Sauber) – aanrijding
DNF Max Verstappen (Red Bull) – crash
DNF Kevin Magnussen (Renault) – aanrijding
DNF Daniil Kvyat (Toro Rosso) – aanrijding/elektronica
DNF Kimi Räikkönen (Ferrari) – aanrijding
DNF Jolyon Palmer (Renault) – crash

Driver of the Day: Sergio Pérez (Force India)

WK-COUREURS			WK-CONSTRUCTEURS		
1	Nico Rosberg	106	1	Mercedes	188
2	Lewis Hamilton	82	2	Ferrari	121
3	Daniel Ricciardo	66	3	Red Bull	112
4	Kimi Räikkönen	61	4	Williams	66
5	Sebastian Vettel	60	5	Force India	37
6	Max Verstappen	38			

Max Emilian in de superleague

JACK PLOOIJ

We hebben inmiddels Monaco achter de rug en als ik heel eerlijk ben, dan ben ik daar blij om. Monaco is voor ons de lastigste Grand Prix om te werken. Het is allemaal moeilijk bereikbaar en je moet enorme afstanden afleggen. De hotels liggen ver van het circuit, de parkeergelegenheden liggen ver van de hotels, en de pitstraat ligt ver van de hoofdtribune. Bovendien bevindt de tv-compound waar wij onze beelden naar Nederland stralen zich op een lastig bereikbare plek, en worden verbindingen maar moeilijk gelegd.

Voor ons is het niet de leukste race van het seizoen, maar voor de fans wel. En ook voor de coureurs. Ze vinden het geweldig in Monaco, voor hen is het net alsof ze met een helikopter door hun zolderkamer vliegen.

Dit keer kwamen we in Monaco weer met de voeten op de aarde. We hadden natuurlijk fantastische weken achter de rug na die overwinning van Max in Spanje, die volledig uit de lucht was komen vallen. Toen Olav zijn wereldberoemde televisiemoment afrondde, begon voor ons het grootste werk. Ik stond zelf als kleine jongen te janken toen Max als winnaar over de streep ging. Nu moesten wij opeens plan B uit de kast trekken, maar dat hádden we helemaal niet. Een potentiële overwinning was voor ons nog helemaal niet aan de orde. Max was nog maar net in die Red Bull aan het rijden, was pas vijf keer in zijn gordels vastgegespt. We waren eigenlijk net zo verbijsterd als de hele wereld. Max Verstappen wint een Grand Prix als jongste ventje ooit en wij moesten als eerste een interview met hem gaan maken. Normaal komt Max in het vierkantje als eerste naar ons toe, maar nu was alles anders.

Het vierkantje is een afgezet gebied in de paddock waar alle televisieploegen met hun verslaggevers omheen staan. De rijders moeten daar verplicht naartoe na de kwalificatie en na de race om interviews te geven. Daar spelen zich ook hele bijzondere dingen af. Kimi Räikkönen heeft er nogal een handje van om maar de helft van het vierkantje te doen en dan gauw via de zijkant te vluchten. De manager van Vettel heeft bedacht om 26 cameraploegen bij elkaar te schuiven zodat Sebastian Vettel één keer in het midden een interview kan doen. Gelukkig ken ik hem van vroeger en wil hij ons nog weleens apart te woord staan, maar het wordt steeds moeilijker omdat die cameraploegen maar blijven groeien. De Duitstalige ploegen staan een beetje bij elkaar, want daar gaan Sebastian Vettel, Nico Rosberg en Nico Hülkenberg als eerste naartoe om het in het Duits te doen. Meestal verplaatst de press officer de rijder dan naar Channel 4 of een ander Engelstalig station en daarna komen de kleintjes, waar wij ook bij horen, pas aan de beurt.

Toen ik begon als pitreporter probeerde ik mijn positie zoveel mogelijk te bepalen aan de hand van de Engelstaligen, zodat ik als het vijfde wiel aan de wagen mee kon draaien. Tegenwoordig kies ik mijn eigen positie. Over het algemeen is het geen probleem om de heren coureurs aan het woord te krijgen, omdat we een goede relatie hebben opgebouwd met de press officers. Als een interview te lang duurt, maken ze met een tikje op je arm duidelijk dat het genoeg is geweest. De press officers staan met een memorecordertje achter de coureurs de gesprekken op te nemen. Naderhand gebruiken ze die opnamen, waaruit ze de leukste quotes pikken, voor het schrijven van een persbericht.

Toen Max Verstappen op 15 mei de race won in Spanje, stond íédereen in de paddock te juichen. Monteurs van de andere teams, mensen van de catering, perscollega's, cameramensen, allemaal waren ze er ondersteboven van. Hier werd historie geschreven.

Na de huldiging kwam Max van het podium af, om daarachter eerst even de schrijvende pers te woord te staan. Vervolgens kwam hij naar ons vierkantje. Zoals altijd zou hij als eerste naar ons toe komen. Er vlogen allerlei vragen door mijn hoofd. 'Hoe voel je je?' 'Had je er zelf wél op gerekend?' Moest ik enthousiast doen? Moest ik meehuilen? Moest ik blij zijn? Een halve minuut voor Max aantrad bedacht ik me dat ik gewoon zo rustig mogelijk moest blijven. En gelukkig deed Max dat ook. 'Ongelofelijk,' was zijn eerste reactie. Hij kon het zelf ook niet bevatten. En eerlijk is eerlijk, misschien was het een mazzeltje, doordat de Mercedessen van de baan af ketsten. Max legt rustig uit hoe het was gegaan, hoe hij Kimi Räikkönen achter zich kon houden en hoe hij zich toen ging realiseren: dit geef ik nooit meer weg. Feest op het podium, de knuffel met zijn vader Jos, die zo verschrikkelijk veel tijd en energie in zijn zoon heeft gestoken. De vreugde bij Jos Verstappen was zó oprecht, dat ik daar opnieuw de tranen van in de ogen kreeg.

We wilden weten wat andere mensen van deze overwinning dachten. De cameraman en ik zijn de daaropvolgende twee uur overal langsgegaan, bij Damon Hill, Johnny Herbert, Niki Lauda, andere teambazen. Allemaal waren ze laaiend enthousiast. Wat wij toen nog niet wisten, was dat er in Nederland een enorm feest was uitgebroken. Zo werd er in een voetbalstadion omgeroepen dat Max de Grand Prix had gewonnen, waarna er gejuich losbarstte op de tribunes.

Na de Grand Prix, op weg naar huis, begon het pas voor Olav en mij: kranten belden, radiostations die een interview wilden, we werden door Ziggo gevraagd of we bij televisieprogramma's wilden aanschuiven. Olav gunde mij de plek aan tafel bij *RTL Late Night*. Dat was een fantastische ervaring. Daar kwam ik Max zijn moeder en zusje tegen, en ook toen vloeiden er tranen. Wat hebben we een feest gevierd daar. Met Jan Lammers, Giedo van der Garde en Tom Coronel, die ook te gast waren bij Humberto, genoot ik enorm van het feit dat onze sport voor die ene avond centraal stond.

Humberto had in oktober 2015 bij Exact een dagvoorzitterschap verzorgd, waarbij ik en Max ook aanwezig mochten zijn. We hadden dus al wat over Formule 1 kunnen kletsen. Tijdens de uitzending toonde Humberto dan ook een goede kennis van zaken. Het was leuk om de moeder van Max aan het woord te horen, die natuurlijk ook de genen heeft overgedragen aan Max. Een heleboel mensen weten dat niet, maar zij, Sophie Kumpen, was een karter uit de superleague, die op wereldniveau racete tegen latere Formule 1-sterren als Giancarlo Fisichella en Jarno Trulli.

Max Verstappen heeft zichzelf in één keer op de kaart gezet. Alle schijnwerpers staan op hem gericht en dat heeft natuurlijk ook een keerzijde, want in Monaco pakte dat verkeerd uit. Ik had het verzoek gekregen vanuit Ziggo om iets speciaals te maken voor Jack van Gelder, wat hij kon gebruiken als hij naar Humberto ging. Dus toen Max handtekeningen stond uit te delen in de pitstraat in Monaco maakte ik er een leuk itempje van. Ik had daar echter geen toestemming voor gevraagd aan het team en het management. Dat kwam me duur te staan: ik werd op het matje geroepen. Als dit soort dingen vaker gebeurden, dan kon ik interviews met Max wel vergeten.

Vanaf dat moment was het duidelijk: Max behoort tot de topklasse. Als er wat geregeld moet worden is het niet meer 'mag het even, kan het even?' Ook werkt het team van Red Bull anders dan Toro Rosso. De van tevoren gemaakte afspraken worden duidelijk gehanteerd. Max komt voor een een-op-eeninterview na de vrije trainingen, na de kwalificatie en na de race. Dát zijn de momenten waarop wij Max mogen vragen naar zijn belevenissen. Al is het moeilijker geworden voor ons, wat hebben we ervan genoten. En wat gaan we allemaal nog meemaken? Volgens mij is dit pas het begin.

Ronde 7: GP van Canada, 12 juni

ERIK HOUBEN

Sebastian Vettel kent vanaf P3 een superstart en passeert voor de eerste bocht de twee vooraan gestarte Mercedessen. In diezelfde bocht raken Lewis Hamilton en Nico Rosberg elkaar en de laatste wordt direct gepasseerd door onder andere Max Verstappen en Daniel Ricciardo. Rosberg valt terug naar plaats negen.

Als in ronde elf de McLaren-Honda van Jenson Button stilvalt wordt de virtuele safetycar ingezet. Ferrari besluit Vettel en Räikkönen de pits in te roepen voor nieuwe banden. Als dertien ronden later ook Hamilton wisselt neemt Vettel de leiding terug. Het probleem voor Vettel is dat hij nog een keer zal moeten stoppen en Hamilton niet meer. De Engelsman krijgt halverwege de race de leiding weer terug en is niet meer in te halen door de Duitser, die twee keer bijna van de baan schiet. Valtteri Bottas scoort achter hen het eerste podium van Williams in 2016. Ook hij maakt slechts één stop en rijdt een laatste stint van 47 ronden op dezelfde banden.

Verstappen kan zijn bij de start veroverde derde plaats vasthouden tot op twee derde van de race. Dan moet ook hij een tweede pitstop maken, waardoor Bottas hem voorbijgaat. Verstappen ziet in de laatste ronden Rosberg in zijn spiegels naderen. De Nederlander verdedigt sterk, dwingt de Duitser in de laatste ronde tot een fout en verzekert zich zo van de vierde plaats in Canada.

MAX VERSTAPPEN NA DE RACE:

'Jammer dat we niet op het podium konden komen, maar we hadden te veel degradatie op de banden. Dan moet je het beste er proberen uit te halen en ik denk dat we dat gewoon goed hebben gedaan.'

Over de start: 'Ik remde iets vroeger voor die eerste bocht, want ik zag ze allemaal heel diep gaan en op een gegeven moment houdt het op. Ik kon toen fijn buitenom aansluiten.'

Over de slotfase en zijn verdediging tegen kampioenschapsleider Nico Rosberg: 'Dat ging gelukkig goed. Ik moest wel veel van mijn batterij gebruiken – hij was wel een stuk sneller natuurlijk – maar we hebben hem achter ons kunnen houden. Bij de laatste aanval was ik al op de limiet van het remmen en toen ik hém twintig, dertig meter later zag remmen, dacht ik: dat kan gewoon niet goed gaan. Ik ga nu met een lach naar Bakoe.'

UITSLAG FORMULE 1 GRAND PRIX VAN CANADA 2016

1 Lewis Hamilton (Mercedes)
2 Sebastian Vettel (Ferrari)
3 Valtteri Bottas (Williams)
4 Max Verstappen (Red Bull)
5 Nico Rosberg (Mercedes)
6 Kimi Räikkönen (Ferrari)
7 Daniel Ricciardo (Red Bull)
8 Nico Hülkenberg (Force India)
9 Carlos Sainz (Toro Rosso)
10 Sergio Pérez (Force India)
11 Fernando Alonso (McLaren)
12 Daniil Kvyat (Toro Rosso)
13 Esteban Gutiérrez (Haas)
14 Romain Grosjean (Haas)
15 Marcus Ericsson (Sauber)
16 Kevin Magnussen (Renault)
17 Pascal Wehrlein (Manor)
18 Felipe Nasr (Sauber)
19 Rio Haryanto (Manor)
DNF Felipe Massa (Williams) – oververhitting
DNF Jolyon Palmer (Renault) – waterlek
DNF Jenson Button (McLaren) – motor

Driver of the Day: Max Verstappen (Red Bull)

WK-COUREURS			WK-CONSTRUCTEURS		
1	Nico Rosberg	116	1	Mercedes	223
2	Lewis Hamilton	107	2	Ferrari	147
3	Sebastian Vettel	78	3	Red Bull	130
4	Daniel Ricciardo	72	4	Williams	81
5	Kimi Räikkönen	69	5	Force India	42
6	Max Verstappen	50			

Ronde 8: GP van Europa, 19 juni

ERIK HOUBEN

Nico Rosberg staat op poleposition met schuin achter hem Daniel Ricciardo en beide Ferrari's op rij twee. Lewis Hamilton start vanaf plek tien: hij is tijdens de kwalificatie gecrasht en staat bij de start één plek achter Max Verstappen, die op zaterdag geen perfecte ronde kon rijden.

Rosberg leidt de race vanaf de start. Ricciardo volgt de eerste ronden als tweede, maar ziet al snel de Ferrari van Sebastian Vettel passeren op het lange rechte stuk van Bakoe. Zowel Ricciardo als teamgenoot Verstappen, die twee plekken heeft gewonnen bij de start en zevende rijdt, maken vroeg hun eerste pitstop en vallen terug naar P12 en P18. Ook Kimi Räikkönen wisselt vroeg, maar collega Vettel niet, waardoor Sergio Pérez tijdelijk derde ligt en Hamilton als vierde aansluit. Hamilton moet dan zijn opmars staken door een probleem met zijn auto. Hij moet bepaalde instellingen veranderen met de knoppen op zijn stuur, maar vanwege de regels mag Mercedes hem niet over de boordradio de oplossing geven.

De race stevent af op een podium met Rosberg, Vettel en Räikkönen, totdat de Fin in de laatste ronden problemen krijgt met zijn energiesysteem en de derde plaats moet laten aan Pérez. Hamilton komt als vierde over de streep; Ricciardo en Verstappen moeten genoegen nemen met plaats zeven en acht.

MAX VERSTAPPEN NA DE RACE:

'Het begin van de race was lastig, maar het einde was goed. Op de supersofte en softe banden ging het niet echt lekker, maar op de medium banden vloog ik over de baan. Na twee ronden merkte ik dat mijn banden al begonnen te slijten, waardoor ik een vroege pitstop moest maken, want ik was twee à drie seconden te langzaam. Op de medium banden die ik als laatste had leek het wel alsof ik vloog, vooral de laatste vijftien ronden.

Ik had niet verwacht dat ik nog achtste zou worden, dus ben ik er tevreden mee. Op het einde liep ik ook nog flink in op Ricciardo. Wat snelheid betreft moet je jezelf toch vergelijken met je teamgenoot en dat was vandaag wel in orde. Je wilt altijd verder naar voren eindigen, maar dat was dit keer onmogelijk. Om na de lastige start als achtste te eindigen is een mooi resultaat. We hebben er het maximale uitgehaald.'

UITSLAG FORMULE 1 GRAND PRIX VAN EUROPA 2016

1 Nico Rosberg (Mercedes)
2 Sebastian Vettel (Ferrari)
3 Sergio Pérez (Force India)
4 Kimi Räikkönen (Ferrari)
5 Lewis Hamilton (Mercedes)
6 Valtteri Bottas (Williams)
7 Daniel Ricciardo (Red Bull)
8 Max Verstappen (Red Bull)
9 Nico Hülkenberg (Force India)
10 Felipe Massa (Williams)
11 Jenson Button (McLaren)
12 Felipe Nasr (Sauber)
13 Romain Grosjean (Haas)
14 Kevin Magnussen (Renault)
15 Jolyon Palmer (Renault)
16 Esteban Gutiérrez (Haas)
17 Marcus Ericsson (Sauber)
18 Rio Haryanto (Manor)
DNF Fernando Alonso (McLaren) – versnellingsbak
DNF Pascal Wehrlein (Manor) – remmen
DNF Carlos Sainz (Toro Rosso) – wielophanging
DNF Daniil Kvyat (Toro Rosso) – wielophanging

Driver of the Day: Sergio Pérez (Force India)

WK-COUREURS			WK-CONSTRUCTEURS		
1	Nico Rosberg	141	1	Mercedes	258
2	Lewis Hamilton	117	2	Ferrari	177
3	Sebastian Vettel	96	3	Red Bull	140
4	Kimi Räikkönen	81	4	Williams	90
5	Daniel Ricciardo	78	5	Force India	59
6	Max Verstappen	54			

Rosberg versus Hamilton: +24 voor Nico

OLAV MOL

De Grand Prix van Spanje was dramatisch voor het team van Mercedes. Voor het eerst sinds jaren een dubbele nul, door een uitval voor zowel Nico Rosberg als Lewis Hamilton. De auto van Rosberg stond nog in de verkeerde setting en daardoor viel hij na bocht drie een beetje terug. Lewis Hamilton probeerde hem rechts in te halen, Rosberg dacht aan de kant te gaan maar kwam daar Hamilton tegen en beide Mercedessen lagen ernaast. Dat opende natuurlijk wel de weg voor een fantastisch debuut en een overwinning van Max Verstappen voor het team van Red Bull Racing.

In de drie wedstrijden daarna komt Nico Rosberg niet uit de verf. Hamilton heeft die problemen niet, hij wint Monaco en Canada, maar in beide wedstrijden ziet Nico Rosberg het podium niet. Rosberg moet wachten tot de grote prijs van Europa in Bakoe alvorens hij weer kan winnen en dan staat ineens Lewis Hamilton niet naast hem op het podium. Hamilton had halverwege de wedstrijd een haperende auto, waarbij de versnellingsbak niet lekker was. Na acht wedstrijden werd duidelijk dat Mercedes nog niet echt makkelijk de een-tweetjes wist te scoren. Anders dan ooit waren er nu ook problemen met de betrouwbaarheid van de Mercedes.

In Monaco was het vrij duidelijk, daar pakte Lewis Hamilton de overwinning en Nico Rosberg slecht zes schamele puntjes. Wat voor Hamilton wel een cadeautje was, was dat Daniel Ricciardo in Monaco had moeten winnen, ware het niet dat het team van Red Bull niet klaar was bij zijn pitstop en daarmee Hamilton de overwinning in zijn schoot worp. Zo kon het dat na acht wedstrijden de voorsprong van Rosberg van 43 punten is teruggelopen naar 24 punten. Hij heeft op dat moment 141 punten in het wereldkampioenschap.

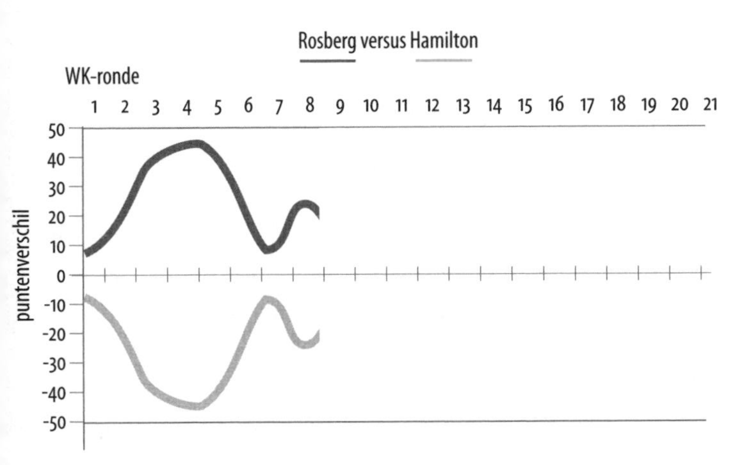

Eerste keer Bakoe

OLAV MOL

Het was een koude bedoening geweest tijdens de Grote Prijs van Canada. Daags ervoor was de wind naar het noorden gedraaid en was men in dikke jassen gestoken. Die race zelf was een wedstrijd waarin Max Verstappen weer liet zien uit welk hout hij gesneden is, door belangrijke punten weg te houden bij Nico Rosberg voor de vierde plaats.

Een van de dingen die ik uit Canada had meegenomen was dat Heineken groot in de Formule 1 ging. Er was een grote persconferentie geweest in Canada: Heineken zou een vennootschap aangaan met de Formule 1. Bernie Ecclestone, Jackie Stewart en David Coulthard waren erbij, evenals een groot aantal internationale (ex)topsporters, onder wie Carlos Puyol van FC Barcelona en de rugbyer Scott Quinnell uit Wales. De Nederlandse bierbrouwerij wilde niet alleen haar merk promoten, maar ook nadrukkelijk gaan uitdragen dat alcoholgebruik en rijden nooit samengaan.

Inmiddels waren ook de onderhandelingen tussen Nico Rosberg en Mercedes begonnen over een nieuw contract. Hij moest aan het einde van 2016 wel weten of hij zou blijven of niet. Bij de race in Bakoe kreeg hij opnieuw een kans om aan de bazen te bewijzen dat hij toch echt WK-materiaal was. Hoewel hij de eerste vier Grands Prix van 2016 gemakkelijk gewonnen had, was daar het debacle in Spanje achteraan gekomen, en had hij vervolgens in zowel Monaco als Canada niet weten te winnen.

Bakoe vond plaats in de week direct na Canada, van de ene kant van de plas helemaal naar de andere; een aparte ervaring. Het was voor de meesten nogal zoeken wat de beste route was, want Bakoe was een nieuwe bestemming op de Formule 1-kalender. Wij reisden terug naar Amsterdam, brachten een dagje in Nederland door en vlogen vervolgens via Istanboel naar onze bestemming in Azerbeidzjan. Ze hebben heel veel oliecenten, maar wat je ziet is tweeledig. De stad is prachtig met heel veel mooie nieuwe dingen, maar het grootste deel is ouder en doet aan Istanboel denken.

Onze huurauto was een grote Toyota Land Cruiser, veel kleiner hadden ze daar niet. Ons hotel was eenvoudig te vinden. Het interieur voerde terug naar de *seventies* en had geen plek voor een ontbijt, daarvoor moesten we een restaurant in de buurt vinden. Daarvoor hoefden we niet ver te zoeken: aan de overkant van het hotel zat een restaurantje, dat er meer uitzag als een huiskamer. Een van de drie man personeel lag op een bankje te slapen, maar de andere twee wilden ons wel helpen. En wat was de mazzel? Er hing een tv, voor ons het belangrijkste, want het EK voetbal was bezig.

Het circuit van Bakoe is een stratencircuit. Het ligt tegen het nieuwe stadsdeel aan en er loopt een heel stuk door het oude deel. De baan is enorm, en prachtig gebouwd. Het heeft een joekel van een recht stuk, waar verschrikkelijk hard gereden kan worden. De pitboxen, opgebouwd door een Nederlands bedrijf, ogen strak en netjes.

Zoals overal moesten wij eerst accrediteren, en dat was in een jaloersmakend mooi, nieuw hotel. Wij moeten bij de accreditatie altijd een camerasticker ophalen. Zonder zo'n sticker is het in het Formule 1-gebied verboden om te filmen. Daarnaast hebben we een autosticker nodig voor de mediaparking. Die sticker was er nog niet en zou er zo aankomen. Dat 'zo' werd uiteindelijk anderhalf uur en vervolgens ontdekten we dat de parking ruim een kilometer verderop lag, langs een kade op een afgezet stuk weg. Onze Land Cruiser heeft daar de rest van het weekend gestaan. Vanaf ons hotel was het met een taxi maar vier minuten en een keer oversteken voor we op het circuit waren, in 'the bubble'.

Hoewel in de stad zelf heel veel uitingen hingen dat de Grand Prix er was, bleven de tribunes het hele weekend vrijwel leeg. Er werden slechts vijftienduizend toeschouwers geregistreerd. De televisiemaatschappij van de FOM heeft alle beelden aan moeten passen, omdat ze geen lege tribunes in de achtergrond wilden. Op tv leek daarom alles tussen muren plaats te vinden en waren er bijna geen wijde shots.

Een van de opvallendste plekken in de lay-out van het circuit, waar de hele wereld vooraf over praatte, is een heel smal stukje met kinderkopjes waar asfalt overheen is gelegd. Uiteindelijk bleek dat het minst spectaculaire deel van de baan te zijn. De wedstrijd zelf werd een hele mooie voor Sergio Pérez die daar een podium pakte.

Of deze Grand Prix toekomst gaat hebben? Ik weet het niet. Vanwege de oliedollars die richting de FOM gegaan zijn, zal het voorlopig wel op de kalender staan. Ik heb inmiddels begrepen dat ze daar heel graag willen dat het 'Grand Prix van Azerbeidzjan' gaat heten in plaats van 'Grand Prix van Europa', omdat ze het land daarmee beter en mooier op de kaart kunnen zetten. Want daar gaat het uiteindelijk om: dat de mensen thuis moeten bedenken om daar een keer naartoe met vakantie te gaan.

Ronde 9: GP van Oostenrijk, 3 juli

ERIK HOUBEN

Lewis Hamilton vertrekt van poleposition met naast hem op de eerste rij verrassend de Force India van Nico Hülkenberg. Nico Rosberg moet vanwege een nieuwe versnellingsbak als zesde starten en Max Verstappen start als achtste. Verrassende man op plek drie: Jenson Button in zijn McLaren.

Hamilton komt goed weg bij de start, maar Hülkenberg niet; hij ziet Button en Räikkönen passeren. Rosberg en Verstappen hebben ook een goede start en komen door als derde en vijfde. De rijders kiezen voor verschillende strategieën voor hun eerste pitstop: Mercedes gaat voor twee pitstops en haalt Rosberg als een van de eersten naar binnen. Verstappen en Räikkönen kiezen ervoor om het met één keer wisselen te doen. Als raceleider Hamilton zijn eerste pitstop maakt, verliest hij zoveel tijd dat Rosberg de leiding kan overnemen. Sebastian Vettel rijdt daarvoor ook nog een ronde aan de leiding, omdat hij als laatste van de top tien een pitstop maakt. Zijn race eindigt echter in diezelfde ronde als zijn band klapt en hij met zijn Ferrari stuurloos in de vangrail belandt.

Het veld komt weer bij elkaar achter de safetycar met als eerste vijf erachter: Rosberg, Hamilton, Verstappen,

Ricciardo en Räikkönen. Die volgorde blijft intact tot zeventien ronden voor het einde als Rosberg en Hamilton hun tweede pitstop maken. Verstappen komt daardoor aan de leiding, die hij een paar ronden later weer moet prijsgeven aan het Mercedesduo op verse en snellere banden.

In de slotronde probeert Hamilton zijn rivaal Rosberg buitenom in te halen, waarbij Rosberg lang wacht met insturen. De auto's raken elkaar, waardoor Rosberg schade aan zijn voorvleugel oploopt en Hamilton de leiding en de winst kan pakken. Het drama wordt nog groter voor Rosberg als ook Verstappen en Räikkönen hem vlak voor de finish passeren voor de twee resterende podiumplaatsen.

MAX VERSTAPPEN NA DE RACE:

'Ik rekende op P3, maar uiteindelijk P2... het is geweldig en het is een bonus. Ik denk dat de hele race goed was. Ik kon wegrijden van de auto's achter me en alleen de Mercedessen waren wat sneller.

Ik kreeg daarna wat last van achterblijvers en blauwe vlaggen, maar ze gingen niet echt opzij waardoor ik wat grip verloor. Vervolgens begon Kimi steeds dichterbij te komen, maar die konden we gelukkig achter ons houden. We verliezen wel wat op de rechte stukken, maar in de bochten presteerde de auto erg goed.'

UITSLAG FORMULE 1 GRAND PRIX VAN OOSTENRIJK 2016

1 Lewis Hamilton (Mercedes)
2 Max Verstappen (Red Bull)
3 Kimi Räikkönen (Ferrari)
4 Nico Rosberg (Mercedes)
5 Daniel Ricciardo (Red Bull)
6 Jenson Button (McLaren)
7 Romain Grosjean (Haas)
8 Carlos Sainz (Toro Rosso)
9 Valtteri Bottas (Williams)
10 Pascal Wehrlein (Manor)
11 Esteban Gutiérrez (Haas)
12 Jolyon Palmer (Renault)
13 Felipe Nasr (Sauber)
14 Kevin Magnussen (Renault)
15 Marcus Ericsson (Sauber)
16 Rio Haryanto (Manor)
17 Sergio Pérez (Force India)
18 Fernando Alonso (McLaren)
19 Nico Hülkenberg (Force India)
20 Felipe Massa (Williams)
DNF Sebastian Vettel (Ferrari) – crash
DNF Daniil Kvyat (Toro Rosso) – mechanisch

Driver of the Day: Max Verstappen (Red Bull)

WK-COUREURS			WK-CONSTRUCTEURS		
1	Nico Rosberg	153	1	Mercedes	295
2	Lewis Hamilton	142	2	Ferrari	192
3	Sebastian Vettel	96	3	Red Bull	168
4	Kimi Räikkönen	96	4	Williams	92
5	Daniel Ricciardo	88	5	Force India	59
6	Max Verstappen	72			

Das schöne Spielberg

OLAV MOL

De Grote Prijs van Oostenrijk is al jarenlang een feest. Het circuit ligt in een prachtig groen dal omringd door mooie bergen. Het uitzicht vanuit het mediacentrum is adembenemend. Het tripje naar Oostenrijk is niet het makkelijkste ter wereld. Je moet eerst naar Wenen en van daaruit 180 kilometer afzakken richting het gezellige Spielberg. Hoteltechnisch is het daar vaak lastig, waardoor de meeste teams óf op een halfuur rijden van het circuit verblijven, óf in een skioord dat in het laagseizoen deels gesloten is. Maar voor óns had de productie dit jaar een hotel gevonden in Spielberg zelf, op acht minuten rijden van het circuit.

Net als in Bakoe was het bij binnenkomst in het hotel even een schok. Het was qua sfeer het beste te omschrijven als een barretje van een foute discotheek in de jaren tachtig. Op de muren hingen spiegels met daaroverheen gouden figuren. We verbaasden ons over een man aan de bar, die een pruik ophad en een cowboyachtige zakdoek om zijn nek droeg. Hij stond om zich heen te loeren naar de mensen die er binnenkwamen. *Dit is de lokale dorpsgek,* dachten wij, maar het bleek de eigenaar van het hotel te zijn.

In aanloop naar de Oostenrijkse Grand Prix was er

veel te doen over het gerommel met de bandenspanningen door bepaalde teams. Sinds dit seizoen geeft Pirelli voor elke wedstrijd de verplichte minimale bandenspanning aan en die eis werd niet altijd nageleefd. Dat had te maken met waar de bandenspanning gecheckt werd, door wie en met wat voor apparatuur. Er waren teams die iets onder de bandenspanning wegreden, omdat ze wisten dat die na de race door de warmere banden weer hoger zou zijn. Ook waren er teams die met een heel hoge bandenspanning uit de pits vertrokken, om de boel een beetje te stressen, waarna ze de spanning juist vlak voor de start weer lieten zakken. Dat soort praktijken wilde de FIA dus niet meer hebben. Vanaf de Grand Prix in Oostenrijk waren alle teams verplicht om de bandenspanning met een door de FIA gereguleerd apparaat te controleren, op elk moment dat de auto's op de startgrid staan.

Ook was er gesteggel over de cockpitbescherming. Een aantal teams zou er ook in Oostenrijk weer mee gaan testen, al bleef dat veelal beperkt tot een enkel rondje. De meeste testten de zogenaamde *halo* of *canopy,* een driepootsconstructie die de coureur van voren en boven beschermt tegen rondvliegende zaken. Red Bull heeft een eigen ontwerp, de *aeroscreen,* een hoge voorruit die 180 graden om de cockpit heen krult. Tot nu toe heeft de FIA nog geen definitieve beslissing genomen over het in gebruik nemen van de cockpitbescherming. Onder aanvoering van oud-coureur Alexander Wurz is wel min of meer besloten dat áls de cockpitbescherming er in 2018 komt, het de halo zou moeten worden.

Red Bulleigenaar Dieter Mateschitz heeft het circuit van Spielberg drie jaar geleden zeer grondig laten verbouwen, waardoor de Formule 1 daar uiteindelijk weer teruggekomen is. Het circuit en de bijbehorende gebouwen wekken de suggestie dat je een hotel binnenkomt. De mediazaal is echt prachtig; hij heeft een glazen wand waardoor je de bergen en het achterste rechte stuk van het circuit mooi ziet liggen. Er zijn daar wel vijftien professionele koffiezetapparaten en speciaal voor de media wordt er zowel ontbijt als middag- en avondeten geserveerd.

Matteo Bonciani, de perschef van de FIA, vertelde mij dat er een lift was waar je met driehonderd man in kan. Vanuit het mediacentrum liep ik met hem mee, er gingen een paar deuren open... Ik denk dat die lift wel vijf meter breed en twaalf meter diep was. Zoiets had ik nog nooit gezien. Omdat het circuit de meeste dagen van het jaar dienstdoet als tentoonstellingsruimte, wordt de lift gebruikt om auto's en andere grote objecten te verplaatsen.

Spielberg is een van de weinige circuits die aangepast zijn voor mindervaliden. Elke opgang richting de hoge tribunes heeft ofwel een lift ofwel een glooiing, zodat je zigzaggend omhoog kan. Dat heeft te maken met de stichting Wings for Life die Mateschitz samen met landgenoot Heinz Kinigadner runt. Kinigadner is een man van KTM die zelf Dakar Rally's gereden heeft en in de jaren tachtig voorin meedeed in het WK motorcross. Zijn zoon Hannes heeft bij de motorcross een dwarslaesie opgelopen. Met het geld dat Wings for Life ophaalt, wordt onderzoek gedaan dat is gericht op het verhelpen van dwarslaesies.

Elk Grand Prixweekend hebben Jack, de cameraman en ik een pooltje. Op donderdagavond vullen we al onze voorspellingen in op de poolpapieren. Hoeveel rondjes rijdt Vettel in vrije training 1 en hoeveel rondjes doet Sainz? Wie is op zaterdag de eerste uitvaller in Q1, 2 en

3? Wie is de snelste in Q1, 2 en 3? Wie pakt de poleposition? Wat is de startplaats van Max? Hoeveel safetycars zijn er op zondag? Wie is de eerste uitvaller in de wedstrijd? Wie wint en wie worden tweede en derde? Wanneer is de eerste pitstop? Enzovoort.

Vrijdag op het circuit kon Jack die papieren niet vinden. 'Heb je ze misschien in het hotel laten liggen?' opperde cameraman Mathijs. We belden het hotel en daar bleken ze inderdaad de papieren te hebben gevonden. Wij stelden Jack voor dat hij ze even ging halen, want het hotel was niet ver weg.

'Die papieren heb ik meegegeven aan die jongens van jullie,' kreeg hij in het hotel te horen. Jack dacht dat wij hem in de maling namen.

'Nou jongens, het is nu leuk geweest,' zei hij toen hij terugkwam op het circuit. 'Kom maar op met die papieren.' Maar Mathijs en ik hadden ze écht niet. 'Jack, we zijn best in voor een geintje,' zei ik, 'maar ik laat jou echt niet voor janlul naar het hotel heen en weer rijden.'

Intussen was ik ook al bij Force India geweest, die in hetzelfde hotel als wij zaten, om te vragen of die papieren wellicht aan hen gegeven waren. Terwijl Jack en ik hardop stonden te discussiëren kwam er een jongen van Force India aanlopen: 'Ik heb hier nog wat papieren van jullie!'

Dat was mooi, maar Jack geloofde nog steeds dat wij hem in het ootje hadden genomen en dat we die jongen om het hoekje met de papieren hadden laten wachten. Gelukkig zijn wij allebei zo dat we even duidelijk tegen elkaar roepen wat we ervan denken. Daarna is dat ook weer voorbij en gaan we gewoon weer aan het werk. Het zijn bijzaken die soms ineens groter kunnen worden dan ze zijn, maar dat hoort erbij als je 130 dagen per jaar met elkaar in het buitenland bivakkeert.

Ronde 10: GP van Groot-Brittannië, 10 juli

ERIK HOUBEN

De baan is bij de start kletsnat van de eerder gevallen regen en het veld van tweeëntwintig auto's vertrekt achter de safetycar. Twee Mercedessen voorop, twee Red Bulls erachter en twee Ferrari's daar weer achter. In ronde vijf begint de race dan echt en als een paar ronden later iedereen zijn regenbanden voor *intermediates* heeft ingeruild is de top vijf: Lewis Hamilton, Nico Rosberg, Max Verstappen, Sergio Pérez en Daniel Ricciardo.

Rosberg en Verstappen raken in een fel gevecht verwikkeld, waarbij de Nederlander profiteert van een fout van de Duitser en hem op een gedurfde plek inhaalt voor de tweede plaats. Nadat zijn teamgenoot Ricciardo Pérez passeert is de volgorde op twee derde van de race: Hamilton, Verstappen, Rosberg, Ricciardo en Pérez. De Ferrari's van Kimi Räikkönen (P6) en Sebastian Vettel (P9) doen dan al niet meer mee om de hoofdprijzen.

Met nog vijftien ronden te gaan weet Rosberg eindelijk Verstappen te passeren en begint een inhaalrace richting Hamilton. Een probleem met zijn versnellingsbak speelt hem echter parten en het team geeft Rosberg instructies om de instellingen van zijn auto te wijzigen. Hij kan het gat naar Hamilton niet overbruggen en komt als tweede over de streep, met Verstappen er vlak achter. Na de race wordt Rosberg bestraft met tien seconden vanwege niet-toegestane instructies van het team. Hij valt daardoor terug naar plaats drie en Verstappen promoveert naar het tweede treetje op het podium naast Hamilton, die zijn teamgenoot tot op één punt is genaderd in het wereldkampioenschap.

MAX VERSTAPPEN NA DE RACE:

'Het was natuurlijk een goede wedstrijd, zeker het begin. De eerste stint op intermediate banden ging erg goed. Ik kon uiteindelijk Nico Rosberg inhalen en verkleinde ook het gat naar voren. Dat ging allemaal erg goed. Ik denk dat we helaas een ronde te laat de pitstop maakten voor de droogweerbanden, maar daarna had ik een goede snelheid en de banden hielden het goed. Om hier dan uiteindelijk weer op het podium te staan, daar ben ik supertevreden mee. Ik denk dat dit het maximale is dat we konden bereiken.'

UITSLAG FORMULE 1 GRAND PRIX VAN GROOT-BRITTANNIË 2016

1 Lewis Hamilton (Mercedes)
2 Max Verstappen (Red Bull)
3 Nico Rosberg (Mercedes)
4 Daniel Ricciardo (Red Bull)
5 Kimi Räikkönen (Ferrari)
6 Sergio Pérez (Force India)
7 Nico Hülkenberg (Force India)
8 Carlos Sainz (Toro Rosso)
9 Sebastian Vettel (Ferrari)
10 Daniil Kvyat (Toro Rosso)
11 Felipe Massa (Williams)
12 Jenson Button (McLaren)
13 Fernando Alonso (McLaren)
14 Valtteri Bottas (Wlliams)
15 Felipe Nasr (Sauber)
16 Esteban Gutiérrez (Haas)
17 Kevin Magnussen (Renault)
DNF Jolyon Palmer (Renault) – versnellingsbak
DNF Rio Haryanto (Manor) – gespind
DNF Romain Grosjean (Haas) – versnellingsbak
DNF Marcus Ericsson (Sauber) – motor
DNF Pascal Wehrlein (Manor) – gespind

Driver of the Day: Max Verstappen (Red Bull)

WK-COUREURS			WK-CONSTRUCTEURS		
1	Nico Rosberg	168	1	Mercedes	335
2	Lewis Hamilton	167	2	Ferrari	204
3	Kimi Räikkönen	106	3	Red Bull	198
4	Daniel Ricciardo	100	4	Williams	92
5	Sebastian Vettel	98	5	Force India	73
6	Max Verstappen	90			

Samurai

JACK PLOOIJ

Sinds de uitbreiding van ons team dit jaar heeft Ziggo drie cameramensen aangewezen. Dat zijn Wouter Kooistra, Mathijs Notten en Arjen Ekster. Arjen doet de Grands Prix die Wouter en Mathijs niet in hun agenda kunnen krijgen. Aan het begin van het jaar hebben ze samen de lijst doorgenomen en uitgekozen wie naar welke race zou gaan.

De cameramannen zijn met een nieuw speeltje op de proppen gekomen: de Samurai. Het is een apparaat dat alle interviews die wij maken moet opnemen. Ik ga ermee naar de technische tv-compound om de opnamen naar Nederland te stralen. Daar hang ik het apparaat aan een soort coaxkabel, waarna de opname door allerlei machines gaat en uiteindelijk via de glasvezel bij Ziggo terechtkomt. Zij kunnen dan in Amsterdam bepalen wanneer de opname op televisie komt.

Bij de ene Grand Prix ligt de tv-compound dicht bij het vierkantje waar wij de interviews opnemen, bij de andere vreselijk ver weg. In China bijvoorbeeld is het een roteind lopen. Toen ik eindelijk bij de compound was aangekomen en de Samurai aan wilde sluiten, weigerde die dienst. Op een gegeven moment was het beeld zelfs zwart. Ik was lichtelijk in paniek. Ik kon Wouter

Kooistra, de cameraman van dienst, niet via de portofoon of via de telefoon bereiken. Dus rende ik dat lange eind weer terug om hem met camera en al naar de compound te halen, zodat we het interview met Max in Nederland konden krijgen.

De Samurai is een vreselijk apparaat. Het is een fantastisch dingetje om beelden op te kijken, maar in drukke tijden en in de warmte iets naar Nederland willen stralen, lukt niet altijd. Er zit een accu op, maar als de stroomtoevoer niet goed genoeg is, dan weigert hij ook dienst. De officiële benaming is de Atomos Samurai Blade, het ding is ongeveer net zo groot als een pak Appelsientje en dat betekent dat ik er makkelijk mee kan lopen. Maar in Hongarije was het echt een drama. Het had net geregend, ik moest trappetje op, trappetje af en gleed op m'n snavel. Bijna had de Samurai op de grond gelegen, waardoor er helemaal geen beeld in Nederland terecht had kunnen komen.

Het apparaat heeft ons het hele jaar ellende bezorgd: hij draait niet wanneer hij moet draaien en hij speelt niet af wanneer hij moet afspelen. Het had nog meer gevolgen; onderweg naar de tv-compound in Bakoe werd ik tegengehouden toen de president van Azerbeidzjan erdoor moest. Ik mocht met mijn apparaat niet langs de beveiliging om het interview met Max Verstappen naar Nederland te zenden. Daardoor hebben de fans thuis het interview niet kunnen zien.

Een andere keer ging de Samurai in een kritiek moment ineens op zwart – terwijl in Nederland iedereen op het interview met Max zat te wachten. Dan moet je toch proberen om in alle rust op verschillende knoppen te drukken. Mathijs Notten is gelukkig technisch handig onderlegd en legde mij uit wat ik moest doen. Maar niets hielp. Het was een drama, want ik zorg er altijd voor dat het beeld kant-en-klaar staat om verzonden te worden.

De tv-compound is een soort grote camping met allemaal technische bedrijfjes. Die zorgen voor de verbinding met Nederland, en andere landen die de Formule 1 verslaan. Met een van die bedrijven, Tata, werken wij samen. Tata heeft iets slims bedacht: ik hoef de Samurai alleen maar op een bajonet aan te sluiten, op 'play' te drukken en de opnamen worden naar Nederland gestraald.

Op het moment van stralen is er behoorlijk wat stress. Ik bel eerst met de MCR in Amsterdam en met het Nederlandse productiebedrijf Southfields, James van Tata legt een verbinding met MCR, ik sluit de Samurai aan op de bajonet... En dan, op het moment suprême dat ik op 'play' druk, scheidt dat kolereding er vaak mee uit! Op die ogenblikken wil ik de Samurai van veertienhoog uit het raam gooien.

Onze grootste teleurstelling vond plaats op Silverstone. We hadden een gezellig interview gemaakt met Jan Smit en Johnny Heitinga, waarin ze voorspellingen voor de race hadden gedaan en hadden uitgelegd wat ze met Formule 1 hebben. Je raadt het al; ook dat interview is nooit aangekomen in Nederland.

Hopelijk hebben we volgend seizoen gewoon een rechtstreekse verbinding met Nederland en kunnen we de Samurai aan de wilgen hangen.

Ronde 11: GP van Hongarije, 24 juli

ERIK HOUBEN

Nico Rosberg en Lewis Hamilton vertrekken vanaf de eerste rij met Daniel Ricciardo en Max Verstappen erachter. In de eerste bocht lijkt Ricciardo de Mercedessen buitenom te kunnen passeren, maar een bocht later moet hij toch capituleren. De volgorde is dan: Hamilton, Rosberg, Ricciardo, Verstappen en Sebastian Vettel.

Ricciardo kan de eerste ronden het tempo van de kop evenaren en is een aantal ronden zelfs sneller. Halverwege de race weet hij het verschil met Hamilton tot vijf seconden te beperken, om daarna toch meer afstand te moeten laten. Verstappen vecht intussen gevechten uit met Vettel en Räikkönen. Hij verliest echter tijd doordat hij lang vastzit achter de Fin en door een pitstopstrategie die niet goed voor hem uitpakt. In de laatste fase rijdt Verstappen op plaats vijf, als Räikkönen op versere banden de aanval inzet. Hij raakt de Red Bull van Verstappen aan de achterkant, loopt schade op en kan niet meer aanhaken.

Vooraan blijft de top drie de hele race ongewijzigd. Hamilton wint voor Rosberg en neemt voor het eerst in 2016 de leiding in het wereldkampioenschap over van Rosberg.

MAX VERSTAPPEN NA DE RACE:

'Bij de start werd ik aan de binnenkant een beetje geblockt zodat ik niet diep in kon remmen, maar dat hoort erbij. We waren wel snel maar je kunt op dit circuit geen kant op. Op een gegeven moment liet ik een gaatje vallen van twee seconden maar toen kwam die Ferrari dichtbij en heb ik wel gezegd tegen het team dat we iets moesten doen.

Ik kon niet beslissen om eerder te stoppen dus dat is jammer. Daarna gaat de Ferrari eerder naar binnen en pakt hij drie seconden en komt hij voor me. Dan is het klaar.'

Over of hij plezier beleefde aan het gevecht met Kimi Räikkönen in de slotfase: 'Dat maakt me eigenlijk geen zak uit. Als je vijfde rijdt en zo je vierde plaats vergooit, dan maakt het voor mij weinig uit. Ik verdedig in dat gevecht gewoon m'n plek en hij moet maar oppassen, toch?

Het is ontzettend balen hoe het is gelopen. Ik kom vast te zitten achter Räikkönen die oudere banden heeft, en daar rijd ik mijn eigen banden kapot. In de laatste stint reed ik in niemandsland en staat Kimi op supersofts. Dan komt hij wel dichtbij, maar het was eigenlijk een heel saaie wedstrijd.'

UITSLAG FORMULE 1 GRAND PRIX VAN HONGARIJE 2016

1 Lewis Hamilton (Mercedes)
2 Nico Rosberg (Mercedes)
3 Daniel Ricciardo (Red Bull)
4 Sebastian Vettel (Ferrari)
5 Max Verstappen (Red Bull)
6 Kimi Räikkönen (Ferrari)
7 Fernando Alonso (McLaren)
8 Carlos Sainz (Toro Rosso)
9 Valtteri Bottas (Williams)
10 Nico Hülkenberg (Force India)
11 Sergio Pérez (Force India)
12 Jolyon Palmer (Renault)
13 Esteban Gutiérrez (Haas)
14 Romain Grosjean (Haas)
15 Kevin Magnussen (Renault)
16 Daniil Kvyat (Toro Rosso)
17 Felipe Nasr (Sauber)
18 Felipe Massa (Williams)
19 Pascal Wehrlein (Manor)
20 Marcus Ericsson (Sauber)
21 Rio Haryanto (Manor)
DNF Jenson Button (McLaren) – olielekkage

Driver of the Day: Kimi Räikkönen (Ferrari)

WK-COUREURS			WK-CONSTRUCTEURS		
1	Lewis Hamilton	192	1	Mercedes	378
2	Nico Rosberg	186	2	Ferrari	224
3	Daniel Ricciardo	115	3	Red Bull	223
4	Kimi Räikkönen	114	4	Williams	94
5	Sebastian Vettel	110	5	Force India	74
6	Max Verstappen	100			

Ronde 12: GP van Duitsland, 31 juli

ERIK HOUBEN

De Mercedessen op rij één, Red Bull op rij twee en de Ferrari's op rij drie. Lewis Hamilton komt goed weg, Nico Rosberg niet. Max Verstappen passeert de Duitser voor de eerste bocht en passeert Daniel Ricciardo buitenom in diezelfde bocht, waarna hij als tweede achter Hamilton aansluit. Ricciardo volgt Verstappen met achter hem Rosberg, Sebastian Vettel en Kimi Räikkönen.

Red Bull Racing heeft voor Verstappen en Ricciardo twee verschillende bandenstrategieën bedacht, wat zo uitpakt dat de Nederlander halverwege de race terugvalt achter de Australiër. Rosberg doet verwoede pogingen Verstappen te passeren, wat hem uiteindelijk lukt. Verstappen meldt direct over de boordradio dat Rosberg hem van de baan af heeft geduwd. De raceleiding is het met Verstappen eens en Rosberg moet in de pits een straf van vijf seconden incasseren, wat hem op de baan weer achter de Nederlander brengt.

Hamilton heeft een probleemloze race en wint deze voor Ricciardo, Verstappen en Rosberg. Ferrari moet genoegen nemen met plaats vijf en zes en zakt daarmee naar de derde plaats in het wereldkampioenschap bij de constructeurs, achter Red Bull Racing.

MAX VERSTAPPEN NA DE RACE:

'We hadden een goede start. Ik denk dat we daarna een goed tempo hadden en ik genoot ervan. We hadden ervoor gekozen om per auto twee verschillende strategieën te doen, waardoor ik Daniel voorbij moest laten gaan. Ik denk dat we het daarna als team heel goed gespeeld hebben. Een dubbel podium eruit slepen was ons hoofddoel en daarnaast wilden we meer punten scoren dan Ferrari. En dat hebben we absoluut gedaan. Het zal fijn thuiskomen zijn vanavond.'

UITSLAG FORMULE 1 GRAND PRIX VAN DUITSLAND 2016

1 Lewis Hamilton (Mercedes)
2 Daniel Ricciardo (Red Bull)
3 Max Verstappen (Red Bull)
4 Nico Rosberg (Mercedes)
5 Sebastian Vettel (Ferrari)
6 Kimi Räikkönen (Ferrari)
7 Nico Hülkenberg (Force India)
8 Jenson Button (McLaren)
9 Valtteri Bottas (Williams)
10 Sergio Pérez (Force India)
11 Esteban Gutiérrez (Haas)
12 Fernando Alonso (McLaren)
13 Romain Grosjean (Haas)
14 Carlos Sainz (Toro Rosso)
15 Daniil Kvyat (Toro Rosso)
16 Kevin Magnussen (Renault)
17 Pascal Wehrlein (Manor)
18 Marcus Ericsson (Sauber)
19 Jolyon Palmer (Renault)
20 Rio Haryanto (Manor)
DNF Felipe Nasr (Sauber) – motor
DNF Felipe Massa (Williams) – wielophanging

Driver of the Day: Daniel Ricciardo (Red Bull)

WK-COUREURS			WK-CONSTRUCTEURS		
1	Lewis Hamilton	217	1	Mercedes	415
2	Nico Rosberg	198	2	Red Bull	256
3	Daniel Ricciardo	133	3	Ferrari	242
4	Kimi Räikkönen	122	4	Williams	96
5	Sebastian Vettel	120	5	Force India	81
6	Max Verstappen	115			

Rosberg vs Hamilton: +19 voor Lewis

OLAV MOL

Als Lewis Hamilton het tij nog wilde keren, moest er dus het een en ander gaan gebeuren in de volgende wedstrijden, zijnde Oostenrijk, Engeland, Hongarije en Duitsland. En warempel wist Lewis Hamilton nou juist in die vier Grands Prix maximaal te scoren. Hij had het volledig op de rit en kreegt ook nog een beetje hulp van een Nederlander. Max Verstappen pakte die vier wedstrijden twee keer een tweede plaats af van Nico Rosberg. Dat is in feite hoe je dat moet zien – het team van Mercedes is, als ze in goeden doen zijn, altijd goed voor plek één-twee en die derde plaats behoort dan toe aan *the best of the rest*. In Oostenrijk had Rosberg ook nog een beetje mazzel, nadat hij eerst de deur dichthield voor Hamilton bij het ingaan van de laatste ronde. Met een beschadigde vleugel hinkte hij naar plek vier. Verstappen pakte in Duitsland ook nog een derde positie, nadat hij de tweede plek aan Daniel Ricciardo had gegeven en daarmee een dubbel podium voor het team veiligstelde. Red Bull Racing deed Lewis Hamilton ontzettend veel plezier door veel punten weg te halen bij Nico Rosberg, wat erin resulteerde dat Hamilton na de Grote Prijs van Hongarije de leiding pakte in het kampioenschap. Hij heeft dan een voorsprong van zes punten en in Duitsland bouwt hij die uit naar negentien punten. Hij heeft op dat moment 217 punten.

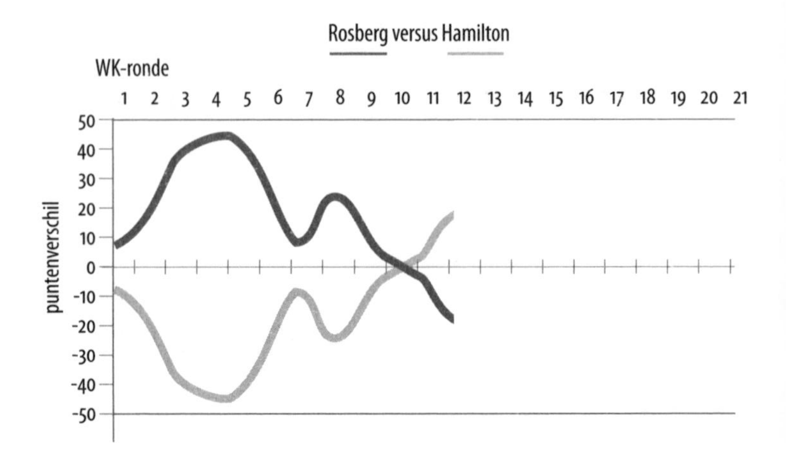

Het seizoen halverwege

OLAV MOL

Prachtige rechte stukken door de bossen, een paar *hairpins* en een mooi stadiongedeelte. Vóór de verbouwing zou ik Hockenheim zo hebben beschreven, maar sindsdien is het circuit een Herman Tilkebaantje geworden.

Na een jaar afwezigheid stond de Grand Prix van Duitsland weer op de kalender. Door het gesteggel met de verkoop van de Nürburgring en het alterneren van Hockenheim en de Nürburgring als Grand Prixlocatie was het de laatste jaren niet echt tof geweest in Duitsland. De laatste keer dat wij er waren, waren er ook maar 55 000 toeschouwers. En dat terwijl Duitsland met Mercedes een belangrijke fabrikant in de Formule 1 heeft en met de heren Hülkenberg, Vettel, Rosberg en Wehrlein ook aan de goede kant van de streep zit. Maar na Michael Schumacher wil Duitsland om een of andere reden niet echt meer warmlopen voor de Formule 1.

Max Verstappen kwam richting Duitsland na een prachtige tweede plek in Engeland en in Oostenrijk, waar zijn pak met lederhosen en al bekleed was. In Hongarije ging het vervolgens niet zoals ze verwacht hadden en dat werd een pijnlijk momentje, want de Hungaroring was toch wel een van de banen waar Red Bull dit jaar een vinkje achter gezet had.

En dan was er tijdens de Grand Prix van Engeland nog de controverse over de radiocommunicatie tussen de rijders en de pitmuur. Tijdens de race was Nico Rosberg over de radio geïnstrueerd over wat hij met zijn versnellingsbak moest doen om zijn auto over de finish te krijgen. De vraag die naderhand op ieders lippen lag: was dat nog binnen de regels? Als het om veiligheid ging, dan mocht het, maar daar was toch wel wat gesteggel over. Rosberg had er toen tien seconden straftijd voor gekregen, maar nu werden de strikte radioregels toch weer overboord gegooid. Na het kwalificatiedebacle aan het begin van het jaar was dit het tweede ding dat de FIA uit de reglementen schrapte.

Wat ook nog speelde waren de regels rondom de dubbele gele vlaggen, die door de baanmarshals gezwaaid worden als er een gevaar is dat de baan deels of volledig blokkeert. De coureur moet dan voorbereid zijn om te stoppen. In Hongarije was Fernando Alonso gespind, waarop er dubbel geel gezwaaid was. Nico Rosberg was daar voorbijgereden en had zijn snelste ronde genoteerd, maar kon op zijn data aantonen dat hij een fractie van een seconde van zijn gas gegaan was. Iedereen had daar toch wel een beetje een rotgevoel over, waarop de FIA-wedstrijdleiding met aan het hoofd Charlie Whiting besloot dat vanaf Duitsland dubbel geel meteen een rode vlag zou worden. De klok wordt dan stilgezet, niemand kan meer een getimede ronde afmaken en iedereen moet naar binnen. Ik vond het belachelijk, want de regel bij dubbel geel is glashelder: wees bereid om te stoppen, want de baan kan (gedeeltelijk) geblokkeerd zijn. Je volgt de regels niet als je daar gewoon hard langsrijdt, even je gas loslaat en daarna op de data wijst.

Ook op het rijdersvlak was er nogal wat gaande. Jenson Button was aan het afwegen of hij bij McLaren zou blijven. Hij was een beetje aan het vrijen met Williams, maar liet dat toch wel vrij lang lopen. Er waren inmiddels ook wat geruchten dat Daniil Kvyat onderweg zou zijn naar Williams, omdat dat natuurlijk toch een lekker stoeltje was. Wellicht had iedereen op dat moment al in de gaten dat wanneer het contract van Felipe Massa bij Williams zou aflopen, hij daar misschien niet meer terug zou keren.

Voor het eerst dat jaar had de manier van rijden van Max Verstappen momenten van discussie opgeleverd. Hij had in Hongarije ongelooflijk hard verdedigd ten opzichte van Kimi Räikkönen, maximaal, zoals hij dat ook had gedaan in de Formule 3. Het had Räikkönen een stukje van zijn voorvleugel gekost en die was daar na afloop redelijk uitgesproken over: 'Dit kan eigenlijk niet en het was op het randje.' Tijdens de Grand Prix van Duitsland gebeurde er iets soortgelijks. Max was wederom in gevecht verwikkeld, nu met Nico Rosberg. In de hairpin zat Max bij hem aan de buitenkant en toen Rosberg besloot om gewoon rechtdoor te rijden, moest Max ver buiten de baan uitwijken. 'Ik had *full lock* (zo ver als het stuur kan, red.) ingestuurd,' riep Rosberg nog, maar kreeg een straf van vijf seconden. Die verliep niet helemaal vlekkeloos. De vijf seconden krijg je voorafgaand aan je pitstop, waarbij je stilstaat en het team met een stopwatch aftelt totdat de banden kunnen worden gewisseld. Een dag later bleek echter dat de stopwatch van Mercedes niet op nul had gestaan, waardoor de straf uiteindelijk acht seconden had geduurd.

In Duitsland had Max Verstappen overigens keurig de tweede plaats aan zijn teamgenoot Daniel Ricciardo gelaten. Hij had Ricciardo, die op het belangrijkste moment in de race gewoon sneller dan hij was, voorbij laten gaan. Daardoor had Red Bull twee rijders op het podium, met Max als derde man. Rosberg was door zijn straf teruggeworpen.

Red Bullteambaas Christian Horner prees Max Verstappen na afloop om zijn kwaliteiten als teamspeler. Er waren veel Nederlandse fans getuige van de race, omdat de Duitse Grand Prix op maar vijfhonderd kilometer afstand van Nederland wordt gehouden. In Hongarije was er al die hele grote tribune geweest, met negenhonderd Verstappenfans in het oranje. De olievlek van Max werd groter en groter.

Hij voelde zich steeds beter thuis bij het team van Red Bull Racing. Na zijn zeperd in Monaco had hij de boel weer aardig op de rit gekregen. Toen kwamen daar die tweede en derde plaatsen en kon hij vier wedstrijden lang makkelijk in de top vijf rijden. 'We moeten hem misschien toch maar eens in de gaten gaan houden,' zei Lewis Hamilton. 'Misschien zit een derde plaats in het kampioenschap er ook nog wel in,' zei Max zelf.

Na Duitsland volgde Spa-Francorchamps, dat echt vollédig oranje gekleurd zou gaan worden, en was het duidelijk dat velen echt toe waren aan de zomerstop. Het Formule 1-kampioenschap telt 21 Grands Prix en begin augustus hadden we er al twaalf op zitten. Iedereen kon zich gaan hergroeperen, de coureurs konden een vakantie plannen of in alle rust thuis bij moeder op de bank gaan zitten. Er is één verplichte week voor de teams dat de fabriek volledig stil moet liggen, uitgezonderd de administratie en andere kantoorzaken, de schoonmaak en eventueel onderhoud aan apparatuur. Aan de auto's mag niet worden gewerkt.

De zomerstop is in de loop der jaren ontstaan. Toen teambaas Eddie Jordan er als eerste mee kwam, dacht ik dat het een grap was. Maar Jordan had toen een heel klein team, waarvoor een weekje rust hard nodig was. Dankzij hem kan de Formule 1-wereld na de Grand Prix van Duitsland even genieten van een welverdiende rust.

Ronde 13: GP van België, 28 augustus

ERIK HOUBEN

Max Verstappen mag na een sterke kwalificatie vanaf plaats twee vertrekken met naar schatting 60 000 Nederlanders op de tribune. Schuin voor Verstappen staat Nico Rosberg op pole en achter hem de twee Ferrari's. Debutant in België is Esteban Ocon, die bij Manor Rio Haryanto vervangt.

Als de startlichten uitgaan komt Verstappen niet goed weg en wordt hij richting de eerste bocht gepasseerd door Kimi Räikkönen en Sebastian Vettel. Toch weet Verstappen de neus van zijn auto aan de binnenkant van de bocht naast Räikkönen te plaatsen. De Fin wordt echter door zijn teamgenoot naar binnen geduwd, die daardoor ook de Nederlander raakt. Vettel, Räikkönen en Verstappen hebben schade, moeten de pits in voor reparaties en zien hun podiumdromen vervliegen.

Voor Kevin Magnussen is de schade nog veel groter als hij in ronde zes de bocht Eau Rouge uitkomt en bovenaan in Radillon hard en achterstevoren de afbakening in vliegt. Hij kan zelf uitstappen en komt er met slechts een enkelblessure goed vanaf. De safetycar komt op de baan, waardoor het veld weer in elkaar schuift.

Lewis Hamilton, op P21 gestart vanwege een straf voor het vervangen van meerdere motoronderdelen, heeft een prima start gehad, profiteert van de brokken vóór hem en ligt na tien ronden vijfde. Ver daarachter verdedigt Verstappen zijn veertiende plaats tegen Räikkönen, die zich daarover beklaagt over de boordradio. De raceleiding ziet niets verkeerds in het scherpe verdedigen van de Limburger, al moet die de Ferrari na zijn volgende pitstop toch weer voor zich dulden. Vanaf een vijftiende plaats weet Verstappen nog op te klimmen tot elfde, maar punten zijn hem niet gegund in zijn thuiswedstrijd.

Vooraan rijdt Rosberg onbedreigd naar de overwinning en ziet op het podium Daniel Ricciardo en Hamilton naast zich. Als vierde en vijfde finishen Nico Hülkenberg en Sergio Pérez, die daarmee Force India naar de vierde plaats bij de constructeurs promoveren ten koste van Williams.

MAX VERSTAPPEN NA DE RACE:

'Ik zat aan de binnenkant en blokkeerde niks, dus dat betekent niet dat ik de bocht mis. Ik draaide gewoon in en ineens sturen de Ferrari's allebei in. Van daaruit: vleugel kapot, maar ook de hele vloer. Alle langzame bochten gingen gewoon niet meer. Dan heb je ook meer degradatie van je banden en dat is niet wat je wilt hier op dit circuit.'

Over de strijd met en het gemopper van Räikkönen: 'Ja, dat moet ook, ze moeten ook flink schelden over de radio. Dat maakt me dan echt niet uit. Kijk, zij verzieken míjn race in bocht één, nou, dan ga ik ze echt niet gewoon voorbij laten. Ik hoop dat ze gewoon elke race blijven zeiken. Da's toch leuke televisie?'

UITSLAG FORMULE 1 GRAND PRIX VAN BELGIË 2016

1 Nico Rosberg (Mercedes)
2 Daniel Ricciardo (Red Bull)
3 Lewis Hamilton (Mercedes)
4 Nico Hülkenberg (Force India)
5 Sergio Pérez (Force India)
6 Sebastian Vettel (Ferrari)
7 Fernando Alonso (McLaren)
8 Valtteri Bottas (Williams)
9 Kimi Räikkönen (Ferrari)
10 Felipe Massa (Williams)
11 Max Verstappen (Red Bull)
12 Esteban Gutiérrez (Haas)
13 Romain Grosjean (Haas)
14 Daniil Kvyat (Torro Rosso)
15 Jolyon Palmer (Renault)
16 Esteban Ocon (Manor)
17 Felipe Nasr (Sauber)
DNF Kevin Magnussen (Renault) – crash
DNF Marcus Ericsson (Sauber) – versnellingsbak
DNF Carlos Sainz (Toro Rosso) – lekke band
DNF Jenson Button (McLaren) – aanrijding
DNF Pascal Wehrlein (Manor) – aanrijding

Driver of the Day: Lewis Hamilton (Mercedes)

WK-COUREURS			WK-CONSTRUCTEURS		
1	Lewis Hamilton	232	1	Mercedes	455
2	Nico Rosberg	223	2	Red Bull	274
3	Daniel Ricciardo	151	3	Ferrari	252
4	Sebastian Vettel	128	4	Force India	103
5	Kimi Räikkönen	124	5	Williams	101
6	Max Verstappen	115			

Frikandelletje speciaal

JACK PLOOIJ

Spa is altijd een speciale Grand Prix. Er komen heel veel fans. Dit jaar was de kleur van de tribune nauwelijks zichtbaar onder het oranje publiek. De fans leefden enorm mee, waren al uren van tevoren aanwezig in Spa-Francorchamps, ondanks alle opstoppingen op de weg. De snelweg naar Luik was opgebroken, dus er waren enorme files omdat we allemaal over één baan moesten.

Tijdens de Grand Prix van België verblijven we altijd in Maastricht en van daaruit rijden we iedere dag met de auto op en neer naar Spa. Daarom stonden ook wij elke dag in die file. Gelukkig hadden we van Land Rover Nederland een fantastische auto meegekregen, een Range Rover Sport SVR Supercharged, een prachtig blauw racemonster waarmee we naar Maastricht en Spa mochten rijden. Die auto schijnt in vier seconden naar de honderd te kunnen, maar dat hebben Olav en ik natuurlijk niet geprobeerd.

Ook de CEO van Dental Clinics, waar ik werk, was in Maastricht en had zelf al goldkaarten gekocht voor Spa. Maar via mister Ecclestone persoonlijk kreeg ik het voor elkaar dat ik hem mee kon nemen in de paddock. Mijn baas was net een klein ventje in de snoepwinkel: hij verzamelde handtekeningen, praatte met Max en ik deelde met hem het geheim van de smid van ons werk voor Ziggo Sport.

We hadden een belofte in te lossen in Spa. In Bakoe hadden we een dolletje gehad met Nico Rosberg. Hij was er daar namelijk van overtuigd dat hij wist welke vraag ik zou gaan stellen. Dus had ik hem de microfoon gegeven en begon Nico mij vragen te stellen. Dat vond zijn persbegeleider George Nolte zo grappig dat ik na de race een telefoontje kreeg of ik bij het motorhome van Mercedes wilde langskomen voor een kop koffie. Dat motorhome is enorm en telt drie verdiepingen. De eerste verdieping is voor de media, de tweede verdieping is voor de uitgenodigde gasten en de derde verdieping is voor de rijders. Op de tweede verdieping vroeg George Nolte mij of we niet iets leuks konden doen voor de Nederlandse fans. 'Ik weet namelijk dat hij gek is op frikandel speciaal.'

In de daaropvolgende races dachten we erover na: hoe krijg je een paar bevroren frikandellen veilig het vliegtuig in? In de rugzak. Nee: inleveren bij de Nederlandse douane. In de koffer dan. Nee: de hond had ze geroken in Hongarije. We liepen een beetje vast met ons frikandellenplan en de enige mogelijkheid waar we Nico een frikandel speciaal konden aanbieden was in Spa.

Op de camping in Spa kon ik voor een zacht prijsje drie bevroren frikandellen meekrijgen. Ik bracht ze naar Mercedes, waar ze door de kok in de Mercedeskeuken heerlijk werden klaargemaakt. Eén zonder uitjes voor Nico, want daar is hij allergisch voor, één voor George en eentje voor mij. Nico vroeg wel: 'Is dit goed voor mij? Wat zit erin?' Toen heb ik natuurlijk een klein beetje moeten liegen, dat het eersteklas vlees was en dat hij de volgende dag gewoon lekker kon racen. Nico glimlachte breed in onze camera en verorberde het frikandelletje met smaak.

Nico Rosberg en ik kennen elkaar al lang. Ik heb hem voor het eerst als rijder ontmoet bij de Formule 1-demo's in Rotterdam en daarna bij hetzelfde evenement in Moskou. In Rotterdam maakten we wat items bij het racespektakel en bij het gala. In Moskou heb ik zelfs een paar dagen met hem mogen optrekken en deden we wat leuke dingen voor Bavaria en andere sponsors. Nico Rosberg is een geweldige gast en een echte gentleman. Wij dachten altijd dat hij niet genoeg power en guts had om wereldkampioen te worden, maar dit jaar bewijst hij het tegenovergestelde. Hij gaat dat kampioenschap binnen harken. En dat mede dankzij een geweldige Nederlands-Belgische coproductie: het frikandelletje speciaal.

Ronde 14: GP van Italië, 4 september

ERIK HOUBEN

Lewis Hamilton kent vanaf poleposition een slechte start. Hij valt bij de eerste bocht terug tot plaats zes, waar teamgenoot Nico Rosberg de leiding pakt, gevolgd door de Ferrari's van Sebastian Vettel en Kimi Räikkönen. Ook Max Verstappen komt niet goed weg: als zevende gestart valt hij terug naar de elfde plaats. Hij haalt voor de eerste pitstop Nico Hülkenberg en Fernando Alonso in en doet vanaf plaats negen zijn eerste bandenwissel.

Vooraan blijft de volgorde hetzelfde: Rosberg, Vettel, Räikkönen. Hamilton zal beide Ferrari's echter passeren, omdat Mercedes als enige team in de top tien een strategie heeft met maar één pitstop. Zo kan Rosberg zijn voorsprong op de Ferrari's probleemloos behouden en Hamilton schuift na de tweede stop van Vettel en Räikkönen door naar plek twee, een plek die hij tot aan de finish vasthoudt. Vettel komt op zijn versere banden in de laatste ronden nog wel dicht bij Hamilton, maar moet genoegen nemen met de derde plek op het podium in Monza.

Verstappen heeft na zijn slechte start wel een goede race. Hij komt als achtste op de baan na zijn laatste pitstop en weet door een inhaalactie op Sergio Pérez zijn verlies te beperken en als zevende auto te finishen.

MAX VERSTAPPEN NA DE RACE:

'Met de start liet ik de koppeling los en die ging in *anti stall*, toen heb ik de koppeling weer opnieuw moeten pakken om de versnelling in zijn één te zetten en dat duurde allemaal lang.

De race zelf ging op zich heel goed. Je verliest alleen heel veel tijd in het begin en dan moet je hard op de banden rijden. Het einde van zo'n stint wordt dan altijd lastiger, maar uiteindelijk ging het nog wel redelijk goed.'

UITSLAG FORMULE 1 GRAND PRIX VAN ITALIË 2016

1 Nico Rosberg (Mercedes)
2 Lewis Hamilton (Mercedes)
3 Sebastian Vettel (Ferrari)
4 Kimi Räikkönen (Ferrari)
5 Daniel Ricciardo (Red Bull)
6 Valtteri Bottas (Williams)
7 Max Verstappen (Red Bull)
8 Sergio Pérez (Force India)
9 Felipe Massa (Williams)
10 Nico Hülkenberg (Force India)
11 Romain Grosjean (Haas)
12 Jenson Button (McLaren)
13 Esteban Gutiérrez (Haas)
14 Fernando Alonso (McLaren)
15 Carlos Sainz (Toro Rosso)
16 Marcus Ericsson (Sauber)
17 Kevin Magnussen (Renault)
18 Esteban Ocon (Manor)
DNF Daniil Kvyat (Toro Rosso) – accu
DNF Pascal Wehrlein (Manor) – olielekkage
DNF Jolyon Palmer (Renault) – aanrijding
DNF Felipe Nasr (Sauber) – aanrijding

Driver of the Day: Nico Rosberg (Mercedes)

WK-COUREURS			WK-CONSTRUCTEURS		
1	Lewis Hamilton	250	1	Mercedes	498
2	Nico Rosberg	248	2	Red Bull	290
3	Daniel Ricciardo	161	3	Ferrari	279
4	Sebastian Vettel	143	4	Williams	111
5	Kimi Räikkönen	136	5	Force India	108
6	Max Verstappen	121			

Eindigende en beginnende carrières

OLAV MOL

De paddock op Monza is het beste samen te vatten met een beeld van de bonte verzameling van zonnebrillen, schoenen en foute broeken die er voorbij paraderen. Het is ook de plek waar je altijd het gevoel hebt dat je elke seconde wat mist. Overal staan groepjes mensen druk te praten en er lijkt steeds weer groot nieuws aan te komen. Dit keer kwam er ook groot nieuws. Felipe Massa en het team van Williams riepen de voltallige aanwezige pers op donderdagmiddag bijeen in het tjokvolle motorhome van Williams. Rijen camera's op statieven en tientallen fotografen stonden schouder aan schouder, want wat zou het gaan worden?

Felipe ging zitten, keek rond, haalde heel diep adem, keek naar zijn vader, zijn vrouw en zijn zoontje op de eerste rij en vertelde toen dat hij had besloten dat 2016 zijn laatste jaar in de Formule 1 zou zijn. Hij wist het net droog te houden en deelde dat dit moment moeilijker was dan dat hij had gedacht. Voor mij toont zijn keuze dat hij een groot sportman is. Er zijn weinig voorbeelden van coureurs die vóór het einde van het seizoen al zeggen dat ze hun F1-carrière beëindigen. De meeste proberen gedurende de winter iets te vinden en als dat niet lukt vertrekken ze met stille trom.

Wat je ook van hem vindt, de carrière van de vijfendertigjarige Massa is toch ook wel een hele mooie. Hij zal niet de geschiedenis ingaan als een ongelooflijk supertalent, maar wel als iemand die heeft laten zien dat je met hard werken en veel trainen ver kan komen.

Massa debuteerde bij Sauber in 2002, reed van 2006 tot en met 2013 bij Ferrari en eindigt zijn carrière bij het team van Williams. Hij komt in Abu Dhabi in totaal op 252 Grand Prixweekenden. Twee daarvan vallen af: Hongarije in 2009, toen hij tijdens de kwalificatie de veer van de auto van Rubens Barrichello in zijn oog kreeg en crashte, en Amerika in 2005, omdat hij toen op Michelinbanden reed, en iedereen op die banden die race niet van start ging. Al met al pakte hij elf overwinningen in zijn carrière, zestien polepositions, 27 starts vanaf de eerste startrij en maar liefst 41 podiums, vijftien snelste racerondes en reed hij in totaal 936 rondjes aan de leiding. Dat zijn toch mooie statistieken. Er zijn ook wat minder fraaie statistieken: zijn laatste overwinning was Brazilië 2008, wat betekent dat hij al 144 wedstrijden droogstaat. Die race in Brazilië in 2008 was de wedstrijd waarin hij dertig, veertig seconden dacht wereldkampioen te zijn. De weersomstandigheden waren vergelijkbaar met die van de Grand Prix in Brazilië dit jaar, veel buien. Het was tijdens de slotfase even droog geweest, Glock gokte en had droogweerbanden gekozen, waardoor Lewis Hamilton, op regenbanden, hem in de laatste ronde inhaalde en alsnog de titel voor de neus van Massa wegkaapte.

De kleine Braziliaan had het laatste anderhalf jaar overal een mening over, ook als hij iets niet had kunnen zien. Toen Max Verstappen in Monaco vorig jaar tegen Romain Grosjean aanreed riep Massa na afloop:

'Wat daar gebeurde, dat kan toch echt niet.' Dat was vrij snel na afloop en wellicht had hij een korte slowmotion gezien, maar als je zelf in die wedstrijd zit moet je een echte mening pas de volgende dag geven. Een zelfde soort moment was er na het zware en uiteindelijk dodelijke ongeluk van Jules Bianchi in Suzuka 2014. Massa schreeuwde moord en brand dat de omstandigheden zo slecht waren en de wedstrijd afgevlagd had moeten worden. Toen ik de data erbij pakte bleek dat Massa zijn snelste raceronde reed vlak voordat de rode vlag kwam. Zo slecht waren die omstandigheden blijkbaar niet voor hem.

Een sportief dieptepunt in zijn tijd bij Ferrari was Hockenheim 2010. Tijdens die race kreeg Felipe twee keer over de boordradio te horen: 'Fernando is faster than you.' Later bleek dat een verkapte teamorder omdat het om een overwinning ging. Maar laat ik duidelijk zijn: over het geheel van zijn carrière hoeft Felipe Massa zich zéker niet te schamen.

Datzelfde weekend in Monza werd ook bekend dat Jenson Button een *sabbatical* zou gaan nemen. Dat was allemaal vrij onduidelijk: eerst werd er gezegd dat hij stopte, toen stopte hij weer niet. Uiteindelijk bleek dat Button een racecontract bij McLaren heeft voor 2018 en dat hij in 2017 een adviserende rol gaat spelen voor de nieuweling die daar gaat komen: Stoffel Vandoorne.

Van Vandoorne dachten – en hoopten – velen in de paddock vorig jaar dat hij dit seizoen al zou gaan rijden, maar de vierentwintigjarige Belg moest nog een jaar geduld hebben. Hij mocht invallen in Bahrein, gelukkig voor hem en minder gelukkig voor Alonso, en leverde daar een prima prestatie met zijn tiende plaats. Vandoorne heeft al meerdere jaren laten zien dat hij Formule 1-waardig is. Hij is meervoudig Formule Renaultkampioen en won vorig jaar met grote overmacht de GP2. Het is ook leuk voor ons: het is een sympathieke kerel, we spreken dezelfde taal én hij kan niet wachten om de strijd aan te gaan met Max Verstappen, tegen wie hij, behalve in Bahrein dit jaar, nog nooit heeft geracet.

Terug naar Jenson Button. Hij neemt deze pauze op zijn zesendertigste, hij is dus een jaar ouder dan Massa. Hij stond na dit seizoen voor 308 Grands Prix ingeschreven, waarvan hij er 305 ook startte, wat er 55 meer zijn dan collega-veteraan Massa. Button is erbij sinds zijn debuut met Williams (Australië 2000) en legde een lange weg af via Benetton, Renault, BAR, Honda, Brawn GP en nu McLaren. Zijn hoogtepunt is natuurlijk de titel in 2009 met de technisch slim gemaakte Brawn. Hij scoorde over zijn hele F1-loopbaan tot nu toe 15 overwinningen, 50 podiums en acht polepositions en acht snelste racesrondes. Wat Button en Massa gemeen hebben: ook de Engelsman scoorde zijn laatste overwinning in Brazilië, maar dan in 2012.

Ook Jenson Button heeft een mooie toekomst in het vooruitzicht. Hij is een *gentleman,* heeft alles gezien in de wereld der Formule 1 én vooralsnog is het plan dat hij in 2018 weer in zal stappen. Hij zal altijd aan de bak kunnen, ook in de pr: hij is geestig en welbespraakt en hij is perfect in het werk voor sponsors. Dat is ook een reden dat ze hem bij het team hebben gehouden, net als dat hij vrij lang in verband werd gebracht met het overpakken van het stoeltje van Massa bij Williams.

Dat stoeltje, en dat werd bekend na de Grand Prix van Mexico, gaat echter in 2017 naar de achttienjarige Canadees Lance Stroll. Hij is de nieuwe Europese Formule 3-kampioen, maar ook een jongen van wie veel mensen in de paddock menen dat het talent niet van hem afspat. De verhalen gaan dat zijn vader al 80 miljoen dollar in de carrière van zijn zoon gestoken zou hebben, onder andere door het opkopen van het Prema Formule 3-team. Daar heeft Stroll senior mensen van Williams neergezet en met een oud F1-chassis van Williams en een speciale motor van Mercedes heeft Lance op diverse circuits al rondjes gedraaid. Omdat het in letterlijke zin volgens de reglementen geen Formule 1-auto is, heeft hij in de schaduw dus al veel ervaring opgedaan en komt hij redelijk beslagen ten ijs. Hij zorgt er ook voor dat Max Verstappen in 2017 niet meer de jongste coureur van het Formule 1-veld is.

Lawrence Stroll, de vader van Lance, heeft zijn aanzienlijke fortuin vergaard met merknamen. Hij bracht de merken Pierre Cardin en Ralph Lauren naar Canada, investeerde in Tommy Hilfiger, dat onder andere Ferrari in de Formule 1 sponsorde, en sloeg een grote slag met de beursgang van Michael Kors. Volgens *Forbes* is hij momenteel goed voor ruim twee miljard euro, wat hij voor een deel heeft gebruikt om een van de meest indrukwekkende privécollecties met Ferrari's op te bouwen. In het voorprogramma van de Formule 1 heb ik hem daar ook weleens in zien racen. In Canada heeft hij het circuit Mont-Tremblant gekocht en verbeterd, dus passie voor autosport is er zeker. Er gaan verhalen dat hij het team van Williams of misschien Force India zou willen kopen. Williams overnemen is echter niet zo makkelijk als sommige mensen denken – het is een beursgenoteerd bedrijf waarvan Frank Williams nog steeds de meerderheid van de aandelen heeft. Ik zie hem die niet zomaar opgeven. Bij Force India wacht Stroll naar verluidt tot de prijs zakt.

Terug naar Monza, waar het nog lang onrustig bleef met de aankondigingen dat Massa en Button er in 2017 niet bij zijn. Tegelijk mogen we blij zijn dat twee jongelingen, Stoffel Vandoorne en Lance Stroll, die plekken gaan innemen.

Ronde 15: GP van Singapore, 18 september

ERIK HOUBEN

Nico Rosberg en Daniel Ricciardo op P1 en P2. Lewis Hamilton en Max Verstappen vertrekken vanaf de tweede startrij. De lichten gaan uit en als enige van de top vier komt Verstappen niet goed weg. Achter hem moeten rijders snel reageren, waarbij Nico Hülkenberg geraakt wordt door Carlos Sainz en op centimeters vóór de Nederlander overdwars de vangrail in schiet, waardoor zijn Force India onherstelbaar beschadigd raakt. Verstappen komt als achtste auto uit het startgewoel om vervolgens rondenlang vast te zitten achter de Toro Rosso's van Carlos Sainz en Daniil Kvyat.

Rosberg leidt de wedstrijd vóór Ricciardo, Hamilton, Kimi Räikkönen en Fernando Alonso. Sebastian Vettel is vanaf P22 gestart vanwege een aantal nieuwe motoronderdelen en is halverwege de race opgeklommen tot P8. Door daarna een pitstop minder te maken dan de rijders om hem heen, weet hij die positie voor de finish nog te verbeteren tot plaats vijf.

Verstappen, die als negende op de baan komt na zijn laatste pitstop, weet zich met inhaalacties op achtereenvolgens Kvyat, Sergio Pérez en Alonso terug te vechten tot de zesde plaats op de eindstreep. De winst op die streep is, ondanks een aandringende Ricciardo, voor

Rosberg, die daardoor de leiding in het wereldkampioenschap weer terugverovert op Hamilton.

MAX VERSTAPPEN NA DE RACE:

'De start was echt slecht. Ze zeiden voor de start al dat de koppeling niet goed zou werken. En ja, ik liet de koppeling los en had superveel wielspin en dan kan je natuurlijk niks doen.' Van de voorbijschietende Hülkenberg was hij niet geschrokken: 'Ik was meer aan het balen van hoe slecht de start was. Ik denk dat dit de beste strategie was die we konden doen. Ik zat natuurlijk de hele tijd vast achter de Toro Rosso's en een McLaren. Van daaruit slijten je banden harder, moet je eerder naar binnen en kan je niet de strategie doen die je wil. Het is gewoon balen, want het had veel meer kunnen zijn.'

UITSLAG FORMULE 1 GRAND PRIX VAN SINGAPORE 2016

1 Nico Rosberg (Mercedes)
2 Daniel Ricciardo (Red Bull)
3 Lewis Hamilton (Mercedes)
4 Kimi Räikkönen (Ferrari)
5 Sebastian Vettel (Ferrari)
6 Max Verstappen (Red Bull)
7 Fernando Alonso (McLaren)
8 Sergio Pérez (Force India)
9 Daniil Kvyat (Toro Rosso)
10 Kevin Magnussen (Renault)
11 Esteban Gutiérrez (Haas)
12 Felipe Massa (Williams)
13 Felipe Nasr (Haas)
14 Carlos Sainz (Toro Rosso)
15 Jolyon Palmer (Renault)
16 Pascal Wehrlein (Manor)
17 Marcus Ericsson (Sauber)
18 Esteban Ocon (Manor)
DNF Jenson Button (McLaren) – remmen
DNF Valtteri Bottas (Williams) – oververhitting
DNF Nico Hülkenberg (Force India) – aanrijding
DNS Romain Grosjean (Haas) – remmen

Driver of the Day: Sebastian Vettel (Ferrari)

WK-COUREURS			WK-CONSTRUCTEURS		
1	Nico Rosberg	273	1	Mercedes	538
2	Lewis Hamilton	265	2	Red Bull	316
3	Daniel Ricciardo	179	3	Ferrari	301
4	Sebastian Vettel	153	4	Force India	112
5	Kimi Räikkönen	148	5	Williams	111
6	Max Verstappen	129			

Ronde 16: GP van Maleisië, 2 oktober

ERIK HOUBEN

De eerste drie startrijen zijn voor achtereenvolgens Mercedes, Red Bull en Ferrari. Max Verstappen vertrekt vanaf P3 en kent een betere start dan de races ervoor. Sebastian Vettel schakelt zichzelf uit in bocht één na een te enthousiaste uitremactie, die Rosberg in de spin gooit en terugverwijst naar P18. Verstappen verliest ook twee plaatsen, maar weet knap uit de mêlee te blijven en snel zijn startpositie weer terug te winnen.

De kop van de wedstrijd is dan Hamilton, Ricciardo en Verstappen, dat blijft zo tot op twee derde van de race. Verstappen volgt qua banden een andere strategie dan Ricciardo en Lewis Hamilton, waardoor de Nederlander een kans heeft om voor de zege te gaan. Dan wordt Hamilton getroffen door het noodlot. De motor van zijn Mercedes ploft en met spectaculaire vlammen uit de uitlaat moet de wereldkampioen zijn strijd staken.

Red Bull Racing besluit vervolgens beide auto's binnen te halen voor een bandenwissel, waar dat voor Verstappen niet per se nodig is. Het team weet met de actie echter de eerste en tweede plaats veilig te stellen en Verstappen accepteert dat zijn kans op de overwinning is ingeruild voor het hogere belang van maximale punten voor het team. Rosberg heeft zich in de Maleisische hitte van P18 terug weten te vechten en staat op het podium naast Ricciardo en Verstappen, waarmee hij zijn leiding in het wereldkampioenschap verstevigt.

MAX VERSTAPPEN NA DE RACE:

'Na de champagne uit de schoen van Daniel voel ik me een stuk beter. Ik heb de hele race gepusht en ik ben erg diep gegaan. Na de race moest ik even een pas op de plaats maken.

Ik denk dat ik een redelijk goede race had. De start was goed maar ik moest de crash ontwijken waardoor ik veel plaatsen verloor, wat erg jammer was. De hele race heb ik goede stints gereden, alleen de safety cars kwamen wel op het verkeerde moment. Uiteindelijk mogen we wel tevreden zijn, voor het team is dit een topresultaat. Op naar Suzuka!'

UITSLAG FORMULE 1 GRAND PRIX VAN MALEISIË 2016

1 Daniel Ricciardo (Red Bull)
2 Max Verstappen (Red Bull)
3 Nico Rosberg (Mercedes)
4 Kimi Räikkönen (Ferrari)
5 Valtteri Bottas (Williams)
6 Sergio Pérez (Force India)
7 Fernando Alonso (McLaren)
8 Nico Hülkenberg (Force India)
9 Jenson Button (McLaren)
10 Jolyon Palmer (Renault)
11 Carlos Sainz (Toro Rosso)
12 Marcus Ericsson (Sauber)
13 Felipe Massa (Williams)
14 Daniil Kvyat (Toro Rosso)
15 Pascal Wehrlein (Manor)
16 Esteban Ocon (Manor)
DNF Felipe Nasr (Sauber) – remmen
DNF Lewis Hamilton (Mercedes) – motor
DNF Esteban Gutiérrez (Haas) – wiel los
DNF Kevin Magnussen (Renault) – motor
DNF Romain Grosjean (Haas) – remmen
DNF Sebastian Vettel (Ferrari) – aanrijding

Driver of the Day: Max Verstappen (Red Bull)

WK-COUREURS			WK-CONSTRUCTEURS		
1	Nico Rosberg	288	1	Mercedes	553
2	Lewis Hamilton	265	2	Red Bull	359
3	Daniel Ricciardo	204	3	Ferrari	313
4	Kimi Räikkönen	160	4	Force India	124
5	Sebastian Vettel	153	5	Williams	121
6	Max Verstappen	147			

Rosberg versus Hamilton: +23 voor Nico

OLAV MOL

In de reeks van ronde 13, 14, 15 en 16 van het wereldkampioenschap rolde het dubbeltje weer richting Nico Rosberg. Hij scoorde de maximale 75 punten in België, Italië en Singapore en pakte ook nog een derde plaats in Maleisië. Een tweede plaats en twee derde plaatsen voor Lewis Hamilton zorgen ervoor dat hij de leiding in het klassement weer verliest. Hamilton pakte die derde plek in België nadat hij was gestart van P21. Hij gebruikte tijdens de trainingen op vrijdag en zaterdag allemaal nieuwe onderdelen, wat hem eenmalig die vele strafplaatsen opleverde, maar hij had met al die onderdelen wel een afdoende voorraad voor de rest van het seizoen. Daarna volgt een dieptepunt in Maleisië: zijn motor geeft de geest. Hamilton heeft dan wel weer het geluk dat winnaar Ricciardo en tweede man Verstappen ervoor zorgen dat Nico Rosberg niet nog eens honderd punten pakt uit vier opeenvolgende wedstrijden. Na de Grote Prijs van Maleisië leidt Nico Rosberg met 23 punten voorsprong. Hij heeft op dat moment 288 punten op zak.

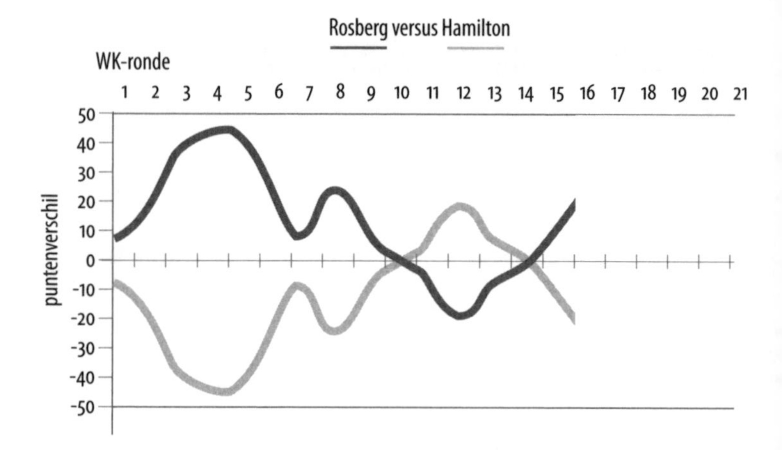
Rosberg versus Hamilton
WK-ronde
1 2 3 4 5 6 7 8 9 10 11 12 13 14 15 16 17 18 19 20 21
50
40
30
20
10
0
-10
-20
-30
-40
-50
puntenverschil

Ronde 17: GP van Japan, 9 oktober

ERIK HOUBEN

Nico Rosberg en Lewis Hamilton vertrekken vanaf één en twee, Max Verstappen en Daniel Ricciardo vanaf drie en vier. Hamilton valt na een slechte start terug naar P8. Verstappen start wel goed en sluit aan bij Rosberg die de leiding neemt.

Na de eerste pitstops vormen Rosberg, Verstappen en Sebastian Vettel het leidende trio. De Mercedes is te snel voor de Red Bull en achter Verstappen komt de Ferrari van Vettel steeds dichterbij. Na de tweede bandenwissel steekt Hamilton voorbij Vettel en nadert hij Verstappen in de laatste ronden van de race. De Nederlander houdt de deur echter knap gesloten en scoort zijn tweede plaats in acht dagen.

De verdediging van Verstappen leidt tot een protest van Mercedes. Dat protest wordt binnen een uur weer ingetrokken, onder andere na een compliment van Hamilton aan Verstappen over diens rijden.

Mercedes is na de overwinning in Japan niet meer in te halen in het constructeurskampioenschap en haalt de winst voor het derde seizoen op rij binnen.

MAX VERSTAPPEN NA DE RACE:

'We hadden deze race een geweldige strategie en een race tegen de Mercedessen is natuurlijk altijd heel positief. Op het einde was er wel veel verkeer, maar gelukkig spaarden we de banden wat in de laatste stint. Om uiteindelijk als tweede te finishen, dat is een groot "dankjewel" aan het team.

Op de rechte stukken worstelden we wat en gaven we drie tienden toe. Ik wist dat ik een goede exit uit bocht 14 en de laatste chicane nodig had en gelukkig lukte dat. Ik had op het rechte stuk langs start-finish niet eens extra vermogen van mijn batterij nodig. Daardoor kon ik het op het andere rechte stuk, waar ik het echt nodig had, wél gebruiken.'

UITSLAG FORMULE 1 GRAND PRIX VAN JAPAN 2016

1 Nico Rosberg (Mercedes)
2 Max Verstappen (Red Bull)
3 Lewis Hamilton (Mercedes)
4 Sebastian Vettel (Ferrari)
5 Kimi Räikkönen (Ferrari)
6 Daniel Ricciardo (Red Bull)
7 Sergio Pérez (Force India)
8 Nico Hülkenberg (Force India)
9 Felipe Massa (Williams)
10 Valtteri Bottas (Williams)
11 Romain Grosjean (Haas)
12 Jolyon Palmer (Renault)
13 Daniil Kvyat (Toro Rosso)
14 Kevin Magnussen (Renault)
15 Marcus Ericsson (Sauber)
16 Fernando Alonso (McLaren)
17 Carlos Sainz (Toro Rosso)
18 Jenson Button (McLaren)
19 Felipe Nasr (Sauber)
20 Esteban Gutiérrez (Haas)
21 Esteban Ocon (Manor)
22 Pascal Wehrlein (Manor)

Driver of the Day: Max Verstappen (Red Bull)

WK-COUREURS			WK-CONSTRUCTEURS		
1	Nico Rosberg	313	1	Mercedes	593
2	Lewis Hamilton	280	2	Red Bull	385
3	Daniel Ricciardo	212	3	Ferrari	335
4	Kimi Räikkönen	170	4	Force India	134
5	Max Verstappen	165	5	Williams	124

Ferrari in de penarie

JACK PLOOIJ

In mijn vorige leven als pitreporter heb ik zeven fantastische jaren meegemaakt met Ferrari, waarin Michael Schumacher voor de zevende keer wereldkampioen werd. Wat was Ferrari toen een geoliede machine. Ik weet bijna zeker dat daar toen fatsoenlijk werd gewerkt dankzij Ross Brawn en Michael Schumacher.

Michael Schumacher was de man van de details. Er draaide een schaduwteam in Maranello, zodat een monteur die niet goed werkte meteen vervangen kon worden door eentje die er gelijk goed in zat. Op cruciale plaatsen in het team waren Engelssprekende mensen neergezet. Toen Michael Schumacher voor het eerst in Maranello kwam, sprak hij het hele team van Ferrari toe als een dictator op zijn troon: 'Vanaf nu wordt er overal alleen nog maar Engels gesproken. Ik wil verstaan wat er gezegd wordt, zodat ik weet dat jullie onder elkaar niet over moeder de vrouw en over voetbal zitten te ouwehoeren. Ik wil begrijpen wat jullie denken.' Schumacher heeft geprobeerd om zoveel mogelijk Italiaans te leren, zodat hij, als het niet anders kon, wel wat dingen kon regelen.

Tegenwoordig is het bij Ferrari één grote chaos. Ze krijgen niets voor elkaar. Zo proberen we al het hele seizoen een interview te organiseren met Sebastian Vettel. Vettel is een goeie gast, houdt van Nederland en ging vroeger vaak in ons land op vakantie. Maar ik heb zes maanden lang naar Ferrari gemaild en niet één keer een antwoord gekregen.

We hadden een aanvraag staan voor een interview met Kimi Räikkönen. Nu is het van belang dat Ferrari in de paddock op zaterdag heerlijke sandwiches serveert. Dus ik ging daar telkens naartoe, nam een lekkere sandwich en probeerde contact te leggen en te onderhouden. Dan sprak ik weer even met Antonini, die zei: 'Ja nee, ja nee, dat komt voor elkaar. Het is moeilijk, de stroom ligt eraf, de brug stond open, tegenwind...'

Uiteindelijk zou het interview met Kimi Räikkönen dan gaan gebeuren in Singapore. We hadden afgesproken op de donderdag, de tijd zou nog worden ingevuld, want ik had geen antwoord gekregen op mijn mailtje daarover. Ook op het circuit had ik nog geen contact kunnen leggen met de mensen van Ferrari.

Op een gegeven moment stonden Olav, de cameraman en ik keurig klaar in de pitstraat. We keken toe hoe de Duitse televisie een interview aan het afnemen was met Sebastian Vettel. Ook daar was het niet goed geregeld; in de pitstraat zouden er barkrukken worden gezet voor Vettel en de Duitse presentator, maar die waren er niet. De Duitse producent slaakte ergerlijke zuchten. Op dat moment liep Pipo, de Italiaanse cameraman van Sky Sports, langs ons. 'Hé,' zei hij, 'ze zoeken jullie bij Ferrari! Over vijf minuten hebben jullie een interview met Kimi Räikkönen.'

Het is onbegrijpelijk dat een team met zo'n fantastische reputatie op deze manier werkt. Ze krijgen het gewoon niet voor elkaar. En dat komt door de Italiaanse chaos. Iedereen lult en werkt langs elkaar heen, er wordt niet goed met elkaar gecommuniceerd en er is geen duidelijke leider. Teambaas Maurizio Arrivabene spreekt geen Engels, of wil het niet spreken. Deze man zou met kop en schouders boven het geheel uit moeten steken en een voorbeeld moeten zijn voor het team, maar ook met hem valt helaas geen afspraak te maken. Het verbaast me niks dat Ferrari het dit jaar weer nét niet haalt. *Sfortunatamente burro di arachidi*, oftewel: helaas pindakaas.

Ronde 18: GP van de Verenigde Staten, 23 oktober

ERIK HOUBEN

De eerste drie startrijen in Austin worden bezet door Mercedes, Red Bull en Ferrari, met Lewis Hamilton op pole en Max Verstappen op P4. In bocht één gaat Daniel Ricciardo voorbij Nico Rosberg naar plek twee en Kimi Räikkönen langs Verstappen naar plek vier. In diezelfde bocht maken onder meer Valtteri Bottas en Nico Hülkenberg contact. De Fin kan door met schade, maar de Duitser moet opgeven.

Na de eerste pitstops weet Verstappen Räikkönen fraai te passeren en komt hij terecht op plaats vier achter Rosberg. Ook op de Duitser loopt hij in, maar een echte kans om te passeren krijgt hij niet. Hamilton blijft intussen leiden met vijf seconden voorsprong op Ricciardo.

Bij de tweede stop voor Verstappen ziet hij bij binnenkomst van de pits dat zijn team niet klaarstaat met de banden. De miscommunicatie veroorzaakt kostbaar tijdverlies en de Nederlander komt als zevende terug op de baan. Hij passeert direct Felipe Massa, maar kort daarna gaat het mis. Verstappen hoort een vreemd geratel in zijn auto en is gedwongen op te geven.

Door Verstappens pech wordt de virtuele safetycar ingezet, Mercedes kan daardoor zonder veel tijdverlies banden wisselen en zo Rosberg vóór Ricciardo krijgen.

Het trio Hamilton, Rosberg, Ricciardo rijdt de wedstrijd in ongewijzigde volgorde uit. Räikkönen dringt nog wel aan voor de derde plaats, maar bij een pitstop maakt Ferrari een fout bij het rechterachterwiel van de Fin, waarna deze zijn strijd moet staken. In de slotfase is er een fel gevecht tussen Fernando Alonso en Felipe Massa, waarbij de Spanjaard op het randje van de regels de zesde plaats pakt. Kort daarna verschalkt hij ook nog landgenoot Carlos Sainz en met een vijfde plaats is Alonso weer terug in de top tien van het wereldkampioenschap.

MAX VERSTAPPEN NA DE RACE:

'De motor hield ermee op, gewoon jammer. Alles deed het nog, maar er kwam zo veel geluid uit de motor dat ik de koppeling erbij pakte, omdat dat toch wat beter is. Het waren van die harde slagen. Het team vroeg of ik door kon rijden en ik liet de koppeling los, maar het gehakkel werd steeds erger. Daarna heb ik de auto gewoon aan de kant gezet.'

Over het begin van de race: 'De eerste stint was heel moeilijk. Het was niet alleen de grip, maar ik had gewoon heel erg veel overstuur, dus in de eerste sector kon ik bijna niet insturen. Dat is daarna aangepast en toen was de balans eigenlijk wel goed. Ook de snelheid werd beter, alleen toen ik moest aanvallen bij Rosberg reed ik mijn rechtervoorband kapot. Op een gegeven moment dacht ik ook dat het geen zin had om door te pushen richting Rosberg, want ik kon er toch niet voorbij. Maar inmiddels was die band al zwaar beschadigd en heb ik geprobeerd het gat zo rond de drie seconden te houden, wat op zich prima lukte. Qua snelheid zat het wel goed, alleen zat ik vast achter andere auto's en dan kun je niet je eigen race rijden.'

UITSLAG FORMULE 1 GRAND PRIX VAN DE VERENIGDE STATEN 2016

1 Lewis Hamilton (Mercedes)
2 Nico Rosberg (Mercedes)
3 Daniel Ricciardo (Red Bull)
4 Sebastian Vettel (Ferrari)
5 Fernando Alonso (McLaren)
6 Carlos Sainz (Toro Rosso)
7 Felipe Massa (Williams)
8 Sergio Pérez (Force India)
9 Jenson Button (McLaren)
10 Romain Grosjean (Haas F1)
11 Daniil Kvyat (Toro Rosso)
12 Kevin Magnussen (Renault)
13 Jolyon Palmer (Renault)
14 Marcus Ericsson (Sauber)
15 Felipe Nasr (Sauber)
16 Valtteri Bottas (Williams)
17 Pascal Wehrlein (Manor)
18 Esteban Ocon (Manor)
DNF Kimi Räikkönen (Ferrari) – wiel los
DNF Max Verstappen (Red Bull) – versnellingsbak
DNF Esteban Gutiérrez (Haas) – remmen
DNF Nico Hülkenberg (Force India) – aanrijding

Driver of the Day: Max Verstappen (Red Bull)

WK-COUREURS			WK-CONSTRUCTEURS		
1	Nico Rosberg	331	1	Mercedes	636
2	Lewis Hamilton	305	2	Red Bull	400
3	Daniel Ricciardo	227	3	Ferrari	347
4	Sebastian Vettel	177	4	Force India	138
5	Kimi Räikkönen	170	5	Williams	130
6	Max Verstappen	165			

De tweede Verstappenregel

OLAV MOL

De matige resultaten die Max Verstappen behaalde in België, Italië en Singapore hadden allemaal een heel duidelijke reden: de koppeling van zijn auto was niet goed. Hij had dan wel goede wedstrijden gereden, of was een deel van een wedstrijd erg sterk en kon echt laten zien dat hij een enorm talent is, het resultaat was er echter even niet.

Voorafgaand aan de wedstrijd in Maleisië wist Max te vertellen dat ze op de fabriek heel druk bezig geweest waren. Met een aantal zaken rondom de positie van Max in de auto, maar ook met de flipper van de koppeling achter het stuur en de bijbehorende knoppen op het stuur die allemaal in de juiste positie moesten om een goede start te kunnen maken. Vroeger had je gewoon een koppelingspedaal en die bediende je op gevoel met je voet, maar tegenwoordig is alles elektronisch geregeld: je moet het in een bepaalde setting zetten en uiteindelijk laat je de koppeling los. Die bestaat dan weer uit twee delen: de eerste doet tien meter en daarna grijpt de rest van de kracht erbij aan. Bij die overgang zat iets niet goed en dus moest het beter.

In Maleisië en Japan keerde Max knetterhard terug met twee tweede plaatsen. In Japan moest hij in de laatste fase van de wedstrijd het gevecht aangaan met Lewis Hamilton en daar was de verdedigende actie van Max weer, zoals het in de Formule 3 en in de karting ook ging. Als er iemand in de buurt komt bij het aanremmen voor een bocht, dan zet je je wagen een beetje dwars. Lewis Hamilton klaagde er eigenlijk niet echt over, maar moest wel in die laatste fase een keertje rechtdoor in de Casio Triangle, zoals de laatste chicane daar heet.

Het waren wel weer twee prachtige resultaten en heel typerend voor Max. Als dingen niet helemaal lekker gaan, dan gaat hij ervoor zitten en gaat goed nadenken en analyseren met het team. Er wordt hem dan verteld wat er allemaal gedaan is en kan worden en daar gaat hij mee aan de slag. Dan volgt weer een periode dat hij makkelijk tweede plaatsen pakt en dat was in Japan alweer de vierde van het seizoen 2016.

Als het Formule 1-circus dan afreist naar Amerika, krijgt die wedstrijd in Japan toch ineens nog een staartje. De FIA besloot wederom dat er wat veranderd moest worden. Ze hadden in het verleden al bepaald dat je minimaal 18 moest zijn om een Formule 1-licentie te kunnen krijgen, omdat er mensen waren die vonden dat Max te jong was. Dat was de eerste zogenaamde Verstappenregel. Nu kwam er weer wat, niet een echte nieuwe regel maar een *directive*, een richtlijn die een bestaande regel verder verscherpt. Het kwam naar voren tijdens de rijdersbriefing, die er op elk circuit op vrijdagmiddag om vijf uur is. Daarbij komen alle Formule 1-coureurs samen met wedstrijdleider Charlie Whiting, die dan vertelt wat er technisch veranderd is aan het circuit, of bijvoorbeeld de pitsingang is veranderd en dat soort zaken. Daar kunnen de coureurs ook hun zegje doen en een aantal bleek zich daarop voorbereid te hebben. Na afloop ontkenden ze allemaal alles. Officieel is wat tijdens de rijdersbriefing besproken is alleen voor de oren van de rijders en Charlie Whiting, maar er wordt altijd wel iets gelekt. Het gerucht wil dat het Esteban Gutiérrez geweest is, die zou in Amerika aan een journalist van NBC verteld hebben dat er bij de briefing daar in Austin heel lang gesproken was. Feit is dat die briefing ver na zessen klaar was, terwijl normaal gesproken de eerste rijders na twintig minuten weer naar buiten komen, dat wil zeggen: de jongens die geen lid zijn van de GPDA, de Grand Prix Drivers Association. Dat is de belangenvereniging van de Formule 1-coureurs die altijd aansluitend op de briefing vergadert. De meeste coureurs zijn lid, maar sommigen zoals Kimi Räikkönen en Max Verstappen zien er het nut niet van in. Toch kwamen ook zij pas na dik een uur en tien minuten naar buiten, dus het was duidelijk een lange zit.

De volgende dag kwam de uitleg van Charlie Whiting en de FIA. Het had allemaal te maken met de hernieuwde *move*, de Verstappenmove, die hij gedaan had bij het afhouden van de Mercedes van Lewis Hamilton in Japan. Laten we vooropstellen: hij heeft geen enkele regel gebroken in Japan. Er was ook nog het verhaal dat Mercedes na die race een protest had ingediend, Toto Wolff en Lewis Hamilton waren op dat moment al van het circuit af. Het verhaal was dat een van de stewards tegen Mercedesman Paddy Lowe gezegd zou hebben dat ze een protest moesten indienen tegen de actie van Verstappen. Later bleek dat de man Paddy Lowe alleen wees op zijn recht, dat was alles. Toen Hamilton en Wolff, inmiddels al in het vliegtuig, dit te horen kregen, liet Hamilton gelijk weten: 'Ik hoor net dat het team protest heeft aangetekend, maar ik heb gezegd dat dat niet is hoe wij zijn.

We zijn wereldkampioenen, we moeten verder. Punt uit.' In een eerdere tweet liet hij al weten dat hij vond dat Max gewoon goed gereden had.

Toch kwam daar de richtlijn, voortbouwend op artikel 27.5 en 27.8 van de Formule 1-sportreglementen. In die artikelen staat, kort samengevat: 'geen auto mag bestuurd worden op een manier die mogelijk gevaarlijk is voor een andere coureur' en 'enige beweging van een auto om een andere coureur te hinderen, zoals enige abnormale verandering van richting, is verboden'. De nieuwe FIA-richtlijn maakte het nog specifieker: 'iedere verandering van richting tijdens het remmen, die ertoe leidt dat een ander coureur een ontwijkende beweging moet maken, wordt beschouwd als abnormaal en daarmee potentieel gevaarlijk en zal worden gemeld aan de stewards'. Met dat in ogenschouw begon de Grote Prijs van Amerika, en was er wederom door de FIA een Verstappenregel in het leven geroepen.

Ronde 19: GP van Mexico, 30 oktober

ERIK HOUBEN

Lewis Hamilton en Nico Rosberg starten als eerste twee en doen dat op banden met soft rubber. Max Verstappen en Daniel Ricciardo vertrekken als derde en vierde, maar zij hebben snellere supersofte banden gemonteerd. Hamilton verremt zich in de eerste bocht, maar weet na het afsnijden van bocht twee door het gras de leiding te behouden. Verstappen probeert daarachter Rosberg aan de binnenkant te verschalken, waarbij ze elkaar raken, maar Rosberg de tweede plaats behoudt. Daniel Ricciardo heeft een minder begin en valt een plaats terug als Nico Hülkenberg hem passeert. Achterin is het direct einde race voor Pascal Wehrlein, die door Esteban Gutiérrez is geraakt. Wehrlein zelf raakt ook nog Marcus Ericsson, maar die kan zijn race vervolgen, zij het met een beschadigde voorvleugel.

Omdat de Manor van Wehrlein moet worden opgeruimd komt de safetycar op de baan. Daniel Ricciardo gaat als een van de eersten de pits in om medium banden te halen, waarmee hij een lange stint kan gaan rijden. Als de race wordt hervat loopt Hamilton iets weg van Rosberg. Verstappen blijft een aantal ronden dicht bij Rosberg, maar gaat daarna als eerste van de top drie naar binnen voor nieuwe banden. Hij komt als elfde terug op de baan, maar ligt snel achtste, achter teamgenoot Ricciardo, wiens banden ouder en dus wat trager zijn. Het team besluit dat Verstappen Ricciardo mag passeren. Nadat behalve raceleider Vettel iedereen in de top tien zijn pitstops heeft gemaakt, ligt Verstappen op plaats vier. Sebastian Vettel rijdt op zijn eerste set banden bijna de helft van de race, maar als hij uiteindelijk nieuw rubber gaat halen is de top drie weer: Hamilton, Rosberg, Verstappen.

Verstappen kruipt langzaam dichterbij naar Rosberg en zet de druk er vol op bij de Duitser. Verschillende aanvallen van de Nederlander lukken net niet, ook al dwingt hij Rosberg in de fout.

In de slotfase van de race maakt Ricciardo een tweede pitstop waardoor hij de vierde plaats even aan Vettel moet laten. Vettel nadert intussen Verstappen en valt hem aan, waarbij Verstappen zich verremt, maar via het gras toch zijn positie weet te behouden. Vettel roept over de boordradio dat Verstappen hem de plek terug moet geven, maar de Nederlander wordt door de raceleiding niets gevraagd en rijdt gewoon door als derde auto.

Daniel Ricciardo is op verse snelle banden inmiddels weer aangesloten bij Vettel, die daarmee in een ware Red Bullsandwich zit. Ricciardo probeert Vettel voorbij te steken, maar de Duitser gooit de deur dicht en beide auto's maken contact. Vettel gooit er over de boordradio een scheldkanonnade uit, gericht tegen Verstappen en zelfs tegen racedirecteur Charlie Whiting, maar moet met lede ogen toezien hoe Hamilton, Rosberg en Verstappen de drie plaatsen op het podium pakken.

Althans, zo lijkt het. Direct na de race krijgt de Nederlander, die al met Hamilton en Rosberg op het punt staat het podium te bestijgen, vijf seconden straftijd vanwege zijn uitstapje in het gras. Daarmee belandt hij achter Vettel en Ricciardo op plaats vijf. Vettel drinkt als derde man de champagne op het podium, maar een paar uur later wordt ook hij bestraft wegens het onreglementair en gevaarlijk verdedigen tegen Ricciardo. Vettel krijgt tien seconden bij zijn tijd opgeteld. Ricciardo wordt daarmee alsnog derde, Verstappen vierde en Vettel vijfde.

MAX VERSTAPPEN NA DE RACE:

'Het is belachelijk. Als je naar bocht één kijkt bij de start, gaan Rosberg en Hamilton ook van de baan. Waar ze ook nog eens echt veel tijd mee winnen. Ik vind het ongelofelijk.' Achter het podium werd hem duidelijk dat hij een tijdstraf kreeg: 'Ik zag mezelf ineens vijfde staan en toen had ik wel door dat ik vijf seconden straf had gekregen.

De race was supergoed, vooral om de banden zo lang mee te laten gaan. We hadden het moeilijk tegen het einde, maar we hadden gewoon die derde plaats.'

UITSLAG FORMULE 1 GRAND PRIX VAN MEXICO 2016

1 Lewis Hamilton (Mercedes)
2 Nico Rosberg (Mercedes)
3 Daniel Ricciardo (Red Bull)
4 Max Verstappen (Red Bull)
5 Sebastian Vettel (Ferrari)
6 Kimi Räikkönen (Ferrari)
7 Nico Hülkenberg (Force India)
8 Valtteri Bottas (Williams)
9 Felipe Massa (Williams)
10 Sergio Pérez (Force India)
11 Marcus Ericsson (Sauber)
12 Jenson Button (McLaren)
13 Fernando Alonso (McLaren)
14 Jolyon Palmer (Renault)
15 Felipe Nasr (Sauber)
16 Carlos Sainz (Toro Rosso)
17 Kevin Magnussen (Renault)
18 Daniil Kvyat (Toro Rosso)
19 Esteban Gutiérrez (Haas)
20 Romain Grosjean (Haas)
21 Esteban Ocon (Manor)
DNF Pascal Wehrlein (Manor) – aanrijding

Driver of the Day: Sebastian Vettel (Ferrari)

WK-COUREURS			WK-CONSTRUCTEURS		
1	Nico Rosberg	349	1	Mercedes	679
2	Lewis Hamilton	330	2	Red Bull	427
3	Daniel Ricciardo	242	3	Ferrari	365
4	Sebastian Vettel	187	4	Force India	145
5	Kimi Räikkönen	178	5	Williams	136
6	Max Verstappen	177			

Ronde 20: GP van Brazilië, 13 november

ERIK HOUBEN

Romain Grosjean valt uit voordat de wedstrijd in São Paulo begint. Op weg naar de startgrid schiet hij met zijn Haas van de natte baan en beschadigt de auto onherstelbaar. De raceleiding besluit de start tien minuten uit te stellen. Het regent op dat moment niet hard, maar op het heuvelachtige circuit ontstaan stromen water die het op bepaalde plekken listig maken voor de rijders. De race gaat van start met alle auto's achter de safetycar, die ruim tien minuten lang voor ze uitrijdt. De volgorde vooraan is dan nog zoals de startvolgorde: Lewis Hamilton, Nico Rosberg, Kimi Räikkönen, Max Verstappen, Sebastian Vettel en Daniël Ricciardo. Als daarna het veld wordt losgelaten trekt Lewis Hamilton direct een gat met Rosberg en passeert Verstappen Räikkönen voor de derde plaats.

Marcus Ericsson is de volgende die van de nog steeds natte baan schiet. Hij is zelf ongedeerd, maar er komt wel weer een safetycar op de baan en het veld schuift ineen. Max Verstappen en Daniel Ricciardo duiken meteen de pits in om hun regenbanden in te ruilen voor intermediates, die wat minder regen kunnen verwerken, maar op een opdrogende baan wel sneller kunnen zijn.

Verstappen valt door de pitstop terug naar plaats

vier, achter Hamilton, Rosberg en Räikkönen. Na een minuut of tien trekt de safetycar zich terug, maar binnen enkele ronden is daar de volgende crash. Kimi Räikkönen verliest op het rechte stuk de controle over zijn Ferrari en komt achterstevoren tot stilstand. De safetycar rukt weer uit en Räikkönen wandelt ongedeerd terug naar zijn team. Achter de safetycar draait de rest van het veld een aantal ronden, maar de wedstrijdleiding besluit de rode vlag te zwaaien, de race te stoppen en te wachten tot de regen ophoudt of in ieder geval wat minder wordt. De rijders lijnen hun auto's op in de pitstraat en stappen uit voor een praatje met het team over de strategie. Het publiek vindt het maar niks en laat dat met luidkeels boegeroep horen.

Na een pauze van bijna een halfuur en een enigszins opgeklaarde lucht wordt de race hervat. Max Verstappen valt direct Nico Rosberg aan en passeert hem knap buitenom voor de tweede plaats. Verstappen noteert vervolgens ook de snelste rondetijd op dat moment in de race, maar schiet niet veel later bijna van de baan. Met een wonderbaarlijke redding houdt hij zijn auto uit de vangrails en weet ternauwernood ook nog de aanstormende Rosberg achter zich te houden. Niet veel later gaat Verstappen de pits in om, net als eerder in de race, te wisselen van de volle regenbanden naar de intermediates. Het kost hem drie plaatsen en hij keert als vijfde terug op de baan.

De regen blijft maar vallen en het volgende slachtoffer is Felipe Massa. Ook hij spint van de baan en belandt met zijn Williams in de vangrail. Zijn wandeling terug naar de pits is een emotioneel gebeuren voor de Braziliaan, die luid wordt toegejuicht door zijn thuispubliek. Terug in de pits geven ook de crews van de andere teams hem een staande ovatie en Massa houdt het niet meer droog.

Na het bergen van Massa's auto wordt de race weer hervat met nog twintig ronden te gaan. De volgorde aan kop is dan: Hamilton, Rosberg, Pérez, Sainz, Verstappen en Vettel. Het regent inmiddels weer iets harder en Daniel Ricciardo, net als Verstappen nog op de intermediate banden, gaat naar binnen om terug naar volle regenbanden te wisselen. Verstappen voelt dat ook zijn banden niet voldoende grip hebben, hoort van Ricciardo's snelle sectortijden en besluit tot eenzelfde bandenwissel. Consequentie is wel dat hij op dat moment als zestiende en een-na-laatste op het scorebord genoteerd staat.

Met nog zestien ronden te gaan volgt er een inhaalrace van Max Verstappen die de eerder ontevreden Braziliaanse fans weer blij maakt. Op het nog steeds kletsnatte Interlagoscircuit passeert de Limburger de een na de ander door andere lijnen te rijden en fabuleus zijn remmen te controleren. Een inhaalactie op teamgenoot Ricciardo brengt Verstappen terug in de top tien met nog elf ronden te gaan. Kvyat, Ocon, Nasr en Hülkenberg zien hem daarna ook passeren, waarna Sebastian Vettel de ontketende Verstappen in zijn spiegels ziet opdoemen. Het gevecht met de Duitser is snel gewonnen, de Ferrari moet zelfs even door het gras en Vettel klaagt weer bij de leiding maar Verstappen jaagt verder en nadert Carlos Sainz. Als ook die is ingehaald wacht een laatste inhaalactie, waarmee hij na een wiel-aan-wielgevecht door meerdere bochten Sergio Pérez terugverwijst naar de vierde plaats.

De overwinning is voor Lewis Hamilton, kampioenschapsleider Nico Rosberg wordt tweede en de titelstrijd zal worden beslist in de laatste race in Abu Dhabi.

Het grootste applaus in Brazilië tijdens de uitloopronde en op het podium is voor Max Verstappen, die met zijn prestatie de vijfde plaats in het kampioenschap overneemt van Kimi Räikkönen.

MAX VERSTAPPEN NA DE RACE:

'Het was een waanzinnige race. Met de rode vlag en de moeilijke condities was het erg lastig, vooral op het laatste stuk van de baan. Het was daar erg glibberig. Bij de laatste herstart kon ik Nico inhalen en daar voelde ik me redelijk comfortabel. Daarna had ik een groot moment bij het opkomen van het rechte stuk. Ik reed denk ik iets te veel over de *kerbstones*. Ik blokkeerde alle vier de wielen en liet net op tijd los om de auto uit de vangrail te houden.

We besloten daarna te stoppen en kozen voor intermediates. Direct daarna begon het te regenen, vandaar dat het niet werkte. Ik weet niet precies waar ik lag, volgens mij vijftiende, maar ik kon een aantal mooie inhaalacties doen en daarmee naar de derde plek rijden. Ik kon niet goed zien op de ideale lijn en moest dus op een andere lijn rijden.'

UITSLAG FORMULE 1 GRAND PRIX VAN BRAZILIË 2016

1 Lewis Hamilton (Mercedes)
2 Nico Rosberg (Mercedes)
3 Max Verstappen (Red Bull)
4 Sergio Pérez (Force India)
5 Sebastian Vettel (Ferrari)
6 Carlos Sainz (Toro Rosso)
7 Nico Hülkenberg (Force India)
8 Daniel Ricciardo (Red Bull)
9 Felipe Nasr (Sauber)
10 Fernando Alonso (McLaren)
11 Valtteri Bottas (Williams)
12 Esteban Ocon (Manor)
13 Daniil Kvyat (Toro Rosso)
14 Kevin Magnussen (Renault)
15 Pascal Wehrlein (Manor)
16 Jenson Button (McLaren)
DNF Esteban Gutiérrez (Haas) – elektronica
DNF Felipe Massa (Williams) – crash
DNF Jolyon Palmer (Renault) – aanrijding
DNF Kimi Räikkönen (Ferrari) – crash
DNF Marcus Ericsson (Sauber) – crash
DNF Romain Grosjean (Haas) – crash

Driver of the Day: Max Verstappen (Red Bull)

WK-COUREURS			WK-CONSTRUCTEURS		
1	Nico Rosberg	367	1	Mercedes	722
2	Lewis Hamilton	355	2	Red Bull	446
3	Daniel Ricciardo	246	3	Ferrari	375
4	Sebastian Vettel	197	4	Force India	163
5	Max Verstappen	192	5	Williams	136

Rosberg versus Hamilton: +12 voor Nico

OLAV MOL

De laatste serie van vier wedstrijden voorafgaand aan de finale in Abu Dhabi ging van Japan via Amerika naar Mexico en Brazilië. In Japan moest Lewis Hamilton wederom zijn meerdere erkennen in zowel Nico Rosberg als Max Verstappen. Hij werd daar derde en wist wat hem te doen stond. Hij kwam wat dichter bij Rosberg door overwinningen in Amerika én in Mexico, waarbij Rosberg wel beide keren tweede werd. In Brazilië liet Hamilton zien dat hij echt de regenmeester is. Hij had daarbij de mazzel dat de beslissingen van Red Bull Racing niet zo tof waren, waardoor Nico Rosberg 'gewoon' tweede kon worden.

Er is wel wat veranderd sinds de Grote Prijs van Maleisië. Je kunt zien dat de mannen van Mercedes vanaf Japan hun voorsprong niet meer zo enorm uitbouwen. Ze hebben het vermogen van de motoren wat teruggeschroefd, ze zijn op zeker gegaan voor de betrouwbaarheid en halen niet meer écht het onderste uit de kan. De onderlinge verschillen tussen Hamilton en Rosberg zijn daardoor op de baan minder groot. Wie na de eerste bocht de leiding heeft, houdt die meestal ook en dat hebben we in het verleden weleens anders gezien.

Nico Rosberg, die tot en met Brazilië ook nog eens

elke race op de eerst rij van start ging, gaat naar Abu Dhabi met twaalf punten voorsprong in het kampioenschap. Zijn grootste voorsprong op Hamilton dit seizoen was 43 punten na de Grand Prix van Rusland.

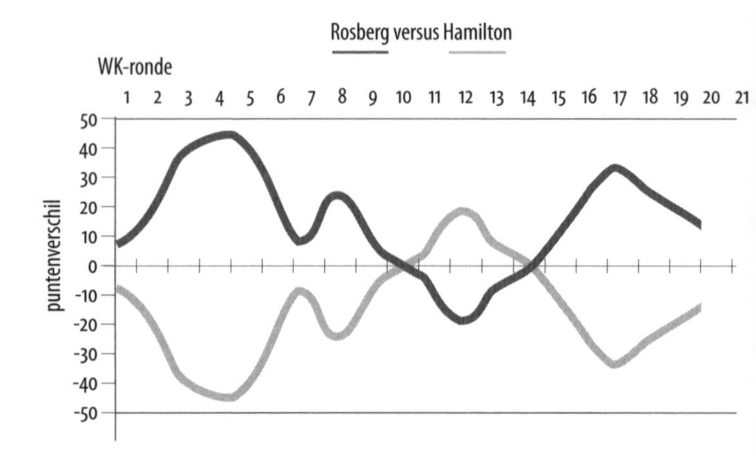

Ronde 21: GP van Abu Dhabi, 27 november

Startrij één is traditioneel voor Mercedes, met Lewis Hamilton op poleposition. Het uitgangspunt voor Nico Rosberg is dat hij bij een eventuele overwinning van Hamilton aan een derde plaats genoeg heeft om kampioen te worden. Achter hen starten Daniel Ricciardo, Kimi Räikkönen, Sebastian Vettel en als zesde Max Verstappen. De Nederlander heeft aan het einde van de kwalificatie een foutje gemaakt, wat hem in de startopstelling achter de Ferrari's heeft doen belanden. Verstappen heeft, net als teamgenoot Ricciardo, ervoor gekozen op iets langzamere banden te starten, waardoor hij wat later dan de anderen zijn pitstop hoeft te maken en daar hoopt hij een voordeel uit te halen. De uitdaging voor Verstappen is met name om Vettel ruim voor te blijven, waardoor hij de vierde plaats in het wereldkampioenschap van hem af kan pakken.

Na het doven van de startlichten stormt het veld richting de eerste bocht. Iedereen komt daar goed doorheen op één man na: Max Verstappen. Nico Hülkenberg en Verstappen raken elkaar licht, waardoor Verstappen in de rondte draait en helemaal achteraan zijn race moet vervolgen vanaf P22. Na de eerste ronde leidt Hamilton voor Rosberg, Räikkönen, Ricciardo en Vettel.

Verstappen werkt zich met een serie fraaie inhaalacties razendsnel naar voren en belandt na de pitstop van de voorste auto's zelfs even op plaats twee in de wedstrijd, met voor hem Hamilton en achter hem Rosberg. Die doet direct een poging om de Nederlander te passeren, wat niet lukt. Rosberg kiest eieren voor zijn geld en besluit Verstappen voorlopig te volgen, in de wetenschap dat die zijn pitstop nog moet maken. Verstappen blijft echter lang doorrijden, waarop in ronde twintig toch een geslaagde aanval van Rosberg volgt en Verstappen direct de pits induikt voor zijn enige bandenwissel van de race. Hij komt terug op de baan als achtste en schuift de ronden erna op naar P4 na pitstops van Ricciardo, Räikkönen en de twee Force India's.

Wanneer tien ronden later ook Vettel een tweede stop maakt, kan de finale gaan beginnen met Hamilton op kop, gevolgd door Rosberg, Verstappen, Ricciardo, Räikkönen en op plaats zes Vettel op verse snelle banden. De enige kans van Hamilton om kampioen te worden is als hij de race wint en er minimaal twee auto's tussen hem en Rosberg finishen. Hij besluit daarom niet voluit te gaan, waardoor Verstappen en Ricciardo kunnen aansluiten bij Rosberg. Een echte aanval kan Verstappen echter niet doen, ook omdat er verdedigd moet worden tegen de Ferrari van Vettel die steeds dichterbij komt.

Over de boordradio krijgt Hamilton van de Mercedesleiding instructies om te versnellen, waar hij geen gehoor aan geeft. Zijn tactiek levert hem echter niets op. Hij wint wel de race, maar Rosberg blijft koel en scoort met zijn tweede plaats genoeg punten om de wereldtitel te pakken. Vettel weet Verstappen nog te passeren waarmee hij het derde treetje van het podium én de vierde plaats in het WK veiligstelt. Verstappen heeft zich vanaf de achterste plaats teruggevochten naar de vierde plaats en eindigt zijn tweede Formule 1-seizoen als vijfde in het WK.

MAX VERSTAPPEN NA DE RACE:

'Ik ben erg blij met mijn resultaat en hoe die race ging. Na bocht één lag ik laatste en moest ik me terugvechten. Het beste was om dat allemaal met een éénstopper te doen en ik ben blij dat dat gelukt is. Ik wist dat ik aangevallen zou worden door de jongens die twee stops deden, omdat zij natuurlijk meer leven in de banden hadden. Ik denk ook niet dat ik Seb (Vettel, red.) had kunnen afhouden aan het eind. Wanneer je nog steeds vóór de jongens finisht die een extra stop hebben gemaakt, dan kan je tevreden zijn met het resultaat, vooral omdat we ook zo dicht achter P1 zijn geëindigd.

Het was een ongelukkige tik bij de start die de spin veroorzaakte. Hoewel het gewoon een race-incident was kunnen deze dingen gebeuren. Het is erg leuk om het seizoen als vijfde in het kampioenschap te beëindigen met een aantal echt goede resultaten op de weg ernaartoe. Dit jaar is voor mij een speciaal seizoen geweest en ik kijk echt uit om volgend jaar aan de gang te gaan en hopelijk met meer succes.'

UITSLAG FORMULE 1 GRAND PRIX VAN ABU DHABI 2016

1 Lewis Hamilton (Mercedes)
2 Nico Rosberg (Mercedes)
3 Sebastian Vettel (Ferrari)
4 Max Verstappen (Red Bull)
5 Daniel Ricciardo (Red Bull)
6 Kimi Räikkönen (Ferrari)
7 Nico Hülkenberg (Force India)
8 Sergio Pérez (Force Inida)
9 Felipe Massa (Williams)
10 Fernando Alonso (McLaren)
11 Romain Grosjean (Haas)
12 Esteban Gutiérrez (Haas)
13 Esteban Ocon (Manor)
14 Pascal Wehrlein (Manor)
15 Marcus Ericsson (Sauber)
16 Felipe Nasr (Sauber)
17 Jolyon Palmer (Renault)
DNF Carlos Sainz (Toro Rosso)
DNF Daniil Kvyat (Toro Rosso)
DNF Jenson Button (McLaren)
DNF Valtteri Bottas (Williams)
DNF Kevin Magnussen (Renault)

Driver of the Day: Sebastian Vettel (Ferrari)

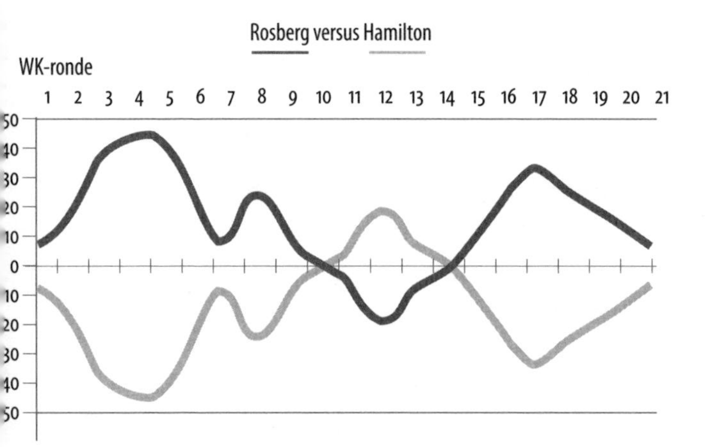
Rosberg versus Hamilton
WK-ronde
1 2 3 4 5 6 7 8 9 10 11 12 13 14 15 16 17 18 19 20 21
50
40
30
20
10
0
10
20
30
40
50

EINDSTAND WK-COUREURS			EINDSTAND WK-CONSTRUCTEURS		
1	Nico Rosberg	385	1	Mercedes	765
2	Lewis Hamilton	380	2	Red Bull	468
3	Daniel Ricciardo	256	3	Ferrari	398
4	Sebastian Vettel	212	4	Force India	173
5	Max Verstappen	204	5	Williams	138
6	Kimi Räikkönen	186	6	McLaren	76
7	Sergio Pérez	101	7	Toro Rosso	63
8	Valtteri Bottas	85	8	Haas	29
9	Nico Hülkenberg	72	9	Renault	8
10	Fernando Alonso	54	10	Sauber	2
11	Felipe Massa	53	11	Manor	1
12	Carlos Sainz	46			
13	Romain Grosjean	29			
14	Daniil Kvyat	25			
15	Jenson Button	21			
16	Kevin Magnussen	7			
17	Felipe Nasr	2			
18	Jolyon Palmer	1			
19	Pascal Wehrlein	1			

20	Stoffel Vandoorne	1
21	Esteban Gutiérrez	0
22	Marcus Ericsson	0
23	Esteban Ocon	0
24	Rio Haryanto	0

De doorbraak van Max Verstappen

OLAV MOL

Nederlander of niet, roze bril of niet, om Max Verstappen kon je in het seizoen 2016 niet heen. We zijn het al bijna weer vergeten, maar hij begon dit jaar gewoon bij het team van Toro Rosso met een tiende plaats in de Grand Prix van Australië, een zesde in Bahrein en een achtste in China. In Rusland was daar het uitvallen door problemen met de motor. Daarna kwam de overstap richting Red Bull Racing en dat ging in het begin met horten en stoten. Hij won de Grand Prix van Spanje, maar in Monaco kwam dat vervelende uitvalresultaat met eerst de crash tijdens de kwalificatie en daarna de crash tijdens de wedstrijd. Zijn crash in de wedstrijd werd veroorzaakt door de omstandigheden: bovenaan richting Casino verremde hij zich een beetje en kwam buiten de lijn, maar die was nog vochtig, de wedstrijd was immers achter de safetycar gestart. Hij liet zijn gas los en stuurde niet te veel in – hij deed alles goed, maar uiteindelijk hield het op. Een paar rondjes later gebeurde Sebastian Vettel precies hetzelfde, maar toen was de baan wat droger en dus kon Vettel er wel mee wegkomen.

In Canada trok Max een geweldige vierde plaats naar zich toe. En dat op een hogesnelheidscircuit, terwijl de motor van Renault/TAG Heuer nog steeds flink vermogen tekortkwam. Als je dan ook nog bedenkt dat hij Nico Rosberg terugverwees naar een vijfde plaats, dan weet je dat hij een van de sterkste auto's van het jaar heeft weten te verslaan. Na Canada was er in Bakoe, ook een hogesnelheidsbaan, een achtste plaats, gevolgd door twee knetterharde tweede plaatsen in Oostenrijk en in Engeland. Met name de inhaalmanoeuvre op diezelfde Nico Rosberg in de bochtencombinatie Maggots en Becketts zal nog lang herinnerd worden. In Hongarije dacht het team een één-twee binnen te kunnen halen, maar daar moest Max genoegen nemen met de vijfde positie, ondanks het feit dat zijn teamgenoot Daniel Ricciardo wel naar het podium mocht. De GP van Duitsland was voor de Nederlanders die voor het eerst naar een Grand Prix met Max Verstappen gingen een cadeautje, want hij scoorde daar de derde plek.

Vervolgens liep het weer even niet echt lekker: elfde in België, zevende in Italië en zesde in Singapore. Inmiddels weten we dat dat de golfbeweging is die Verstappen erin heeft zitten, eentje die hij ook in zijn Formule 3-tijd had: in het begin wat moeite, maar even later als dingen helder worden, slaat hij weer toe. Hij maakte wat ups en downs mee, met weer ups in Maleisië en Japan (twee tweede plaatsen) en een down in Amerika (een niet-finish). Dat zijn versnellingsbak stuk ging in Austin, kon hij nou eenmaal niks aan doen. De grote fout die hij zelf maakte in die wedstrijd was natuurlijk dat hij te vroeg binnenkwam bij een pitstop. Hij weet dat later zelf aan tunnelvisie en overconcentratie: 'Ik hoorde *"push, push!"* en ik dacht *dat roepen ze normaal gesproken als ik binnen moet komen* en ik ben uiteindelijk gewoon blind naar binnen gereden.' Vader Jos heeft hem daar later naar eigen zeggen redelijk de oren om gewassen.

In Mexico haalde hij het podium, toen werd het een vijfde plaats en uiteindelijk werd het toch weer een vierde plaats. Dat was een knotsgekke wedstrijd, ik denk een van de beste wedstrijden van Max als het echt gaat om knokken. Daar bleek dat hij echt iemand is om rekening mee te houden. Op het moment dat hij wist dat er misschien iets boven zijn hoofd zou hangen, liet hij Daniel Ricciardo weer dichterbij komen met Sebastian Vettel ertussen. Vettel klaagde steen en been dat wat Max deed allemaal niet kon en schandalig was, maar werd vervolgens zelf het slachtoffer van de recent geïntroduceeerde Verstappenregel. Zijn podiumplaats raakte hij daardoor alsnog kwijt aan Daniel Ricciardo. Ferrari zette daarmee de beker netjes voor de deur bij Red Bull Racing. Het allermooiste van dat verhaal was dat zowel Max als Daniel Ricciardo samen naar het podium gegaan zijn, toen iedereen al weg was. Max reikte aan zijn teamgenoot de beker uit en samen vierden ze alsnog hun eigen feestje. Ferrari heeft later in Brazilië nog geprobeerd om die straf voor Vettel weg te krijgen. In een telefonische vergadering met de FIA en de stewards die in Mexico dienstdeden werd nieuw bewijsmateriaal – de gps-gegevens van de auto – naar voren gebracht. Dat was volgens de wedstrijdleiding helemaal niet nieuw, maar gewoon voor iedereen beschikbaar tijdens de race; ook gaven de gegevens volgens de stewards geen reden om de zaak te herzien. Het herzieningsverzoek van Ferrari werd dus afgewezen, maar ook daar zou Ferrari weer tegen in beroep gaan. Vrij ironisch: de mensen die ontzettend blij waren met de tweede Verstappenregel kregen die nu zelf om de oren. Daags na de Grand Prix van Brazilië bleek dat Ferrari dat brullende beroep dat ze zouden gaan aantekenen toch niet door zou zetten. Een storm in een glas water.

De Braziliaanse Grand Prix was een pareltje. Het was wellicht de mooiste race van Max Verstappen. Die allereerste overwinning in Spanje, die stáát, die is goud en zal dat altijd blijven. maar als je het hebt over een mooie race, spant Brazilië de kroon. Na afloop werden allerlei vergelijkingen getrokken, zoals een Braziliaanse journalist die voor de camera bij Jack zei: 'Dit is wat mij betreft de reïncarnatie van Ayrton Senna.' Dat gaat misschien zo vroeg in de carrière van Max wat ver, maar als je er even goed over nadenkt heb je niet heel veel van dit soort wedstrijden gezien. Senna excelleerde in de Lotus ook in de regen en ook dat was vroeg in zijn carrière. Michael Schumacher heeft natuurlijk fantastische races laten zien in de regen, met name in Barcelona. Vergeet Jenson Button in 2011 in Canada niet, dat was er ook wel eentje, maar dat was weer op een opdrogende baan. Maar wat Max in Brazilië liet zien, met zó weinig tijd vanaf de zestiende plaats gewoon naar voren rijden, de manier waarop hij mensen inhaalde, de manier waarop hij andere lijnen zocht, was wel heel bijzonder. Zijn teambaas Christian Horner zei: 'Hij heeft achter de safetycar gewoon zitten kijken waar er grip was.' Je mag achter de safetycar niet inhalen, maar Max zat toch regelmatig naast Kimi Räikkönen en later naast Nico Rosberg. Vervolgens raakte hij echt bijna de auto kwijt, maar hij wist hem toch te houden. Iedereen vroeg zich af: geluk of vaardigheid? Ik heb het denk ik 2000 keer teruggekeken en ik blijf erbij: dat hij vlak voor de vangrail zijn rem loslaat, maakt dat het echt vaardigheid is. Als je de auto kwijtraakt moet je wel het geluk hebben dat die niet meteen achterstevoren staat, maar voor de rest is het echt allemaal vaardigheid.

En dan hebben we natuurlijk nog de allerlaatste wedstrijd van het seizoen in Abu Dhabi, waarin Max na een tikje in de eerste bocht helemaal achteraan moet beginnen, maar uiteindelijk toch weer meestrijdt om de topplaatsen. Twee wedstrijden achter elkaar rijdt hij 'even' het grootste deel van het veld voorbij. Dat is heel bijzonder.

Nico Rosberg is uiteindelijk wereldkampioen geworden en dat zal de wereld zich blijven herinneren, maar 2016 zal altijd de grote entree van Max Verstappen in de wereld van de Formule 1 blijven. Beginnen bij een klein team, overstappen naar het grote Red Bull, daar meteen winnen en daarna podium na podium pakken en spectaculaire wedstrijden laten zien. Dat belooft veel goeds voor de komende jaren met Max Verstappen in de Formule 1.

Preview Formule 1 2017

OLAV MOL

Het Formule 1-veld dichter bij elkaar krijgen doe je niet door regelveranderingen, maar door regels een langere tijd te geven. Ik ga ervan uit dat er op het vlak van de motoren, waar niet veel veranderingen zijn voor 2017, de trend wordt doorgezet dat Mercedes ongetwijfeld mede de sterkste motor zal hebben. De rest is echter dichterbij gekomen en dat zal zich doorzetten, omdat in 2017 het systeem met de *tokens* wordt afgeschaft. Iedereen die ontwikkelingen heeft, kan die ook daadwerkelijk toepassen binnen de reglementen. Wat wel blijft is het maximum aantal motoren dat gebruikt kan worden.

De meest zichtbare verandering in 2017 zijn de bredere banden, maar de grootste verandering zit op het aerodynamische vlak. De kans daarbij is dat één iemand de gouden sleutel vindt, zoals Ross Brawn die vond in 2009 met Brawn GP. Bij de teams is de verhouding 60/40 tussen gebruik van de windtunnel en CFD (*computional fluid dynamics*), waarbij een computer de aerodynamische effecten simuleert. Force India wil eigenlijk dat de hele windtunnel weggaat en alles met CFD gebeurt, maar dat zie ik nog niet zo snel gebeuren. Windtunnels zijn installaties waar teams veel geld in hebben geïnvesteerd en het kost veel te veel geld om die windtunnels zomaar dicht te gooien. Ik denk dat er aerodynamisch nu zo veel vrijgegeven is dat de maas in de wet zoals Brawn die vond er niet zomaar meer zit. Die maas, of de kans om je als constructeur te onderscheiden, zal dan vooral zitten waar het nu ook zit: versnellingsbakken, wielophangingen en het 'praten' daarbij van links naar rechts.

MERCEDES

Dat 'praten' zal ik toelichten met een voorbeeld bij Mercedes. Veel mensen zullen de foto van de achterkant van de Mercedes gezien hebben, waarbij je in een bocht één kant van de achterwielophanging horizontaal ziet en aan de kant waar de kracht op staat bijna 45 graden omhoog. Het chassis wordt op die manier zo horizontaal mogelijk gehouden, waardoor die auto zo hard mogelijk de bocht om kan. Zo extreem als bij Mercedes, zo zie je dat niet bij anderen, dus hebben zij een uniek systeem.

Daarop voortbordurend is het vrij simpel: Mercedes, de constructeurskampioen van de laatste drie jaar, zal ook in 2017 meedoen om het kampioenschap. Het is inmiddels een van de grootste en rijkste teams, waar talloze knappe knoppen al maandenlang werken aan de best mogelijke auto voor 2017. De dominantie van de motor wordt echter steeds kleiner, wat er hopelijk toe leidt dat anderen het de Mercedescoureurs vaker lastig kunnen maken.

RED BULL RACING

Red Bull Racing pikte in 2016 de tweede plaats van Ferrari. Red Bull is nog steeds klimmende uit het dal van de laatste paar jaar; hun laatste titel stamt uit 2013. Voor het team is het mooi dat ze met de huidige twee coureurs, die bewezen hebben dat ze allebei podiums en overwinningen kunnen pakken, met een schone lei kunnen beginnen. Als je ervan uitgaat dat de bredere banden en de aerodynamica zelf al meer mechanische grip gaan geven, dan moet je er ook van uitgaan dat Red Bull in 2017 voor de winst niet langer afhankelijk zal zijn van fouten bij Mercedes. Ik kijk erg uit naar een echt gevecht vooraan.

FERRARI

Ferrari heeft maar één opdracht en dat is het sluiten van de gelederen, niks meer en niks minder. Het lijkt me dat we voor het nieuwe seizoen weten of er grote veranderingen op het managementvlak gaan plaatsvinden. Er zijn aanwijzingen dat zowel CEO Sergio Marchionne als teambaas Maurizio Arrivabene de wacht aangezegd gaat worden door de Agnelli's. Zij zouden niet tevreden zijn met Marchionne en het team valt onder zijn verantwoording. Hij zou daar geslachtofferd kunnen worden, Maurizio Arrivabene zal dan volgen en kan wellicht terugkeren bij Philip Morris International. Ferrari moet vertrouwen kweken en onderling vertrouwen herstellen en denk ik met name de eerste vier, vijf wedstrijden nadenken, maximaliseren en vooral daar geen punten laten liggen. Dat hadden ze in 2016 tegen: in Bahrein bijvoorbeeld plofte de motor van Vettel al tijdens de formatieronde voor de start.

FORCE INDIA

Ik denk dat Force India de vierde plek bij de constructeurs moeilijk vast kan houden. Het team heeft een kleine fabriek en geen onuitputtelijke mogelijkheden, ook financieel niet. Het team heeft wel een hele goede auto neergezet halverwege 2015 en ze hebben de prestaties in

2016 goed door kunnen zetten, mede omdat er weinig aerodynamische wijzigingen waren en ze dankzij de bredere bandenkeuze als klein team iets vaker konden gokken met de tactiek. Met de huidige auto kunnen ze niet nog een jaar door. De regelverandering biedt aan de ene kant een kans, maar aan de andere kant is het voor een klein team moeilijker om er voordeel uit te halen, omdat ze nu eenmaal minder middelen en capaciteit hebben. Hun grootste pluspunt is dat ze de Mercedesmotor behouden.

WILLIAMS

Een team dat met de regelveranderingen echt een stap móét gaan maken is Williams. Die hebben twee jaar geleden in één jaar 27 miljoen verlies gedraaid maar dat het jaar erna weer terugverdiend omdat er veel punten kwamen. Daarna zijn ze wat gestagneerd qua ontwikkeling en vervolgens weer afgegleden. Ook bij hen zou meer mechanische grip ze een voordeel moeten bieden met alle knowhow die Williams in huis heeft. En dan wordt het ook tijd voor Valtteri Bottas om eens een keer echt toe te gaan slaan. Ook in regenraces blijft het team zoekende, terwijl een auto die *downforce* en mechanische grip mist het juist dan beter zou moeten doen. Dat is ze dus niet gelukt.

MCLAREN

Voor McLaren is het een open deur: slechter dan de laatste paar jaar kan niet. Honda komt voor de motor opnieuw met een compleet nieuw concept, het lijkt me dat ze inmiddels weten wat de trucs zijn en steeds minder ver van de top af zullen zitten, ik schat zo'n 15 à 20 pk. Ze zullen wel betrouwbaarheid moeten zien te vinden in de hybridesystemen, want het overgrote gedeelte van de technische uitval en de problemen van de McLaren-Hondacombinatie gaat om die systemen. Tevens zal duidelijk worden of Ron Dennis gemist gaat worden. Hij was in de dagelijkse operatie van het team heel zichtbaar, maar echt een vinger in de pap had hij niet meer. Tot mijn verbazing zwijgt de met veel tamtam aangekondigde nieuwe CEO van McLaren F1, de Duitser Jost Capito, tot op heden. Ik hoop dat dat zal veranderen. Capito heeft ervaring genoeg. Zo heeft heeft hij in de afgelopen jaren het WRC-team van Volkswagen dominant gemaakt, bij Ford Motorsport gepresteerd en hij heeft al een Formule 1-verleden, ook bij Ford. Andere belangrijke vraag is: blijft *racing director* Éric Boullier op de circuits, of krijgt hij een kantoorbaan? Het moet bij McLaren echt beter, zowel organisatorisch als qua hybridetechniek. Je mag veronderstellen dat ze de kennis in huis hebben, maar ze móeten voor de vierde plaats in het WK willen gaan. Anders zie ik het niet gebeuren met ze.

HAAS F1

Haas F1 krijgt een lastig jaar. Ze hebben aan het begin van 2016 goed gebruikgemaakt van het feit dat ze een Ferrarikopie hadden staan die voor de eerste paar wedstrijden betrouwbaar en snel genoeg was om punten te scoren. Maar toen de rest zich ging ontwikkelen, zijn ze afgehaakt. En niet alleen op het gebied van betrouwbaarheid laat het te wensen over, ook met de remmen en de rembalans hebben ze veel fouten gemaakt. Ze hebben zelf al aangegeven dat ze nu al achterlopen op hun plan voor 2017, waarin ze vijf updates per wedstrijd willen meenemen. Dat voorspelt weinig goeds, ze zullen terugvallen tot in de staart van het veld, denk ik.

TORO ROSSO

Toro Rosso wisselt in 2017 terug van de Ferrari- naar een Renault/TAG Heuermotor. De Ferrarimotor van 2015 die ze afgelopen jaar gebruikten heeft niet gebracht wat ze hadden gehoopt, omdat ze in de doorontwikkeling tegen een stagnering aanliepen. Ze kwamen prima door de wintertest heen, maar daarna hield het ook op. In de eerste wedstrijden van 2016 hebben ze nagelaten flink te scoren, wat wel had gemoeten. De auto van James Key heeft een geweldig chassis met heel veel mechanische grip, ook achter. Met de motorwissel krijgt Toro Rosso weer dezelfde aandrijflijn als grote broer Red Bull Racing, waarmee er ook weer meer informatie tussen die twee heen en weer kan. Het zou zomaar kunnen dat ze de complete achterwielophanging van de Red Bullauto gaan implementeren, wat met de Ferrarimotor achterin niet kon. Het is ook een voordeeltje dat ze dezelfde rijders houden. Dit seizoen zal voor Carlos Sainz en Daniil Kvyat echt *do or die* worden, maar als ze een beetje goede auto hebben moeten ze als team er alles uit kunnen halen wat erin zit.

RENAULT

Het Formule 1-team van Renault heeft eigenlijk alleen op het gebied van het chassis werk te doen, want daar is de huidige positie op de ranglijst aan te wijten. Dat werk komt er sowieso door de regelveranderingen: lagere vleugels, bredere vleugels, meer mechanische grip. Dat zijn allemaal zaken waar ze vroeger goed in waren. Ze weten in Enstone absoluut hoe je een goede auto moet bouwen, maar ze hadden daar de afgelopen jaren simpelweg het geld niet voor. In 2016 reden ze met een ietwat aangepast chassis uit 2015, wat al een doorontwikkeling van 2014 was, omdat er in de Lotusperiode helemaal geen geld was en Renault lang gewacht heeft. Ik denk dat ze daarom ook vrij makkelijk Jolyon Palmer hebben kunnen aanhouden, wetende dat als Palmer volgend jaar ineens gaat scoren iedereen dat aan het chassis zal wijten en niet aan zijn rijderskunsten. Dat vind ik een slimme keus. Nico Hülkenberg moet nou eindelijk eens een keer een podium gaan halen en dat zal met Renault moeten gebeuren.

SAUBER

Sauber kan ik kort over zijn: Sauber rijdt volgend jaar stijf achteraan. Ze kunnen het niet oplossen met het Toro Rossovoorbeeld van een jaar oude Ferrarimotor gebruiken en die niet verder doorontwikkelen. Ze kunnen alleen maar hopen dat door een goede betrouwbaarheid of andere zaken het in de eerste paar wedstrijden nog even een beetje gaat lukken, maar de ontwikkeling heeft daar zó lang stilgelegen. In de Formule 1 is stilstand echt achteruitgang. Als je dan ook nog bedenkt dat de motoren in 2017 door alle motorbouwers vrij doorontwikkeld kunnen worden, dan zou het dom zijn te gaan afwachten met een 2016-motor. Dat alles kun je niet op chassisgebied goedmaken. Dat wordt, ongeacht de coureurs, een gevecht om de laatste plaats.

MANOR

Dat gevecht zou dan goed met Manor kunnen zijn. Manor moet zien te overleven, nadat ze miljoenen dollars zijn misgelopen doordat Sauber met Felipe Nasr in Brazilië twee punten pakte waardoor Manor van de tiende plaats in het constructeurskampioenschap werd gestoten. Of ze het tij zullen kunnen keren is de vraag, want ook Manor reed in 2016 met een doorontwikkeling van een doorontwikkeling van een ouder chassis. Daar moet nu eigen aerodynamica bij komen, het chassis moet beter. Dat kost allemaal echt veel geld en vergeet niet: Manor is een privéoperatie. Manor moet hopen dat wat ze nu bouwen meteen goed is. De laatste jaren hadden ze te weinig neerwaartse druk, hopelijk lukt het ze met de nieuwe reglementen om meer vleugel op de auto te creeren, zodat ze niet meer steeds de topsnelheid hebben met maximale vleugel. Als je alle vleugels rechtop hebt staan en je hebt nog steeds de hoogste snelheid, dan is er iets niet efficiënt. Het zal te maken hebben met een gebrek aan tijd en geld om de auto boven het staartje van het veld te gaan tillen. Ik zie ze niet plotseling het middenveld bereiken, ik denk eerder dat dat middenveld harder van ze wegrijdt dan ze lief is.

Teams en coureurs Formule 1 2017

TEAM	COUREUR	LAND
Mercedes	Lewis Hamilton *Rijder niet bekend*	Engeland ...
Red Bull	Daniel Ricciardo Max Verstappen	Australië Nederland
Ferrari	Sebastian Vettel Kimi Räikkönen	Duitsland Finland
Williams	Valtteri Bottas Lance Stroll (debutant)	Finland Canada
Force India	Sergio Pérez Esteban Ocon	Mexico Frankrijk
Toro Rosso	Daniil Kvyat Carlos Sainz	Rusland Spanje
McLaren	Fernando Alonso Stoffel Vandoorne	Spanje België
Haas	Romain Grosjean Kevin Magnussen	Frankrijk Denemarken
Renault	Nico Hülkenberg Jolyon Palmer	Duitsland Engeland
Sauber	Marcus Ericsson *Rijder niet bekend*	Zweden ...
Manor	*Rijder niet bekend* *Rijder niet bekend*	... ...

KALENDER FORMULE 1 2017

26 maart – Australië (Melbourne)
9 april – China (Shanghai)
16 april – Bahrein (Bahrein)
30 april – Rusland (Sotsji)
14 mei – Spanje (Barcelona)
28 mei – Monaco (Monte Carlo)
11 juni – Canada (Montreal)
25 juni – Azerbeidzjan (Bakoe)
9 juli – Oostenrijk (Spielberg)
16 juli – Groot-Brittannië (Silverstone)
30 juli – Hongarije (Boedapest)
27 augustus – België (Spa-Francorchamps)
3 september – Italië (Monza)
17 september – Singapore (Singapore)
1 oktober – Maleisië (Sepang)
8 oktober – Japan (Suzuka)
22 oktober – Verenigde Staten (Austin)
29 oktober – Mexico (Mexico City)
12 november – Brazilië (São Paulo)
26 november – Verenigde Arabische Emiraten (Abu Dhabi)

OLAV MOL
Een leven met Formule1
Q

GRAND
PRIX
RETRO
Verhalen uit de F1
SAMENSTELLING:
OLAV MOL